Introduction
to Generative
AI Law

ゼロからわかる

生成AI法律入門

編著　増田雅史　輪千浩平

著　上村哲史　田中浩之　北山昇　篠原孝典
上田雅大　加藤瑛子　堺有光子　田野口瑛
佐藤真澄　瀧山侑莉花　梛良拡　松井佑樹

森・濱田松本法律事務所

朝日新聞出版

CONTENTS

Introduction
to Generative
AI Law

CHAPTER 2

CHAPTER 3

CHAPTER 4

PROLOGUE

はじめに
生成AIがもたらす社会変革にどう対応するか

人類は、技術と知識の急速な進化によって新たなる地平を切り開いてきました。21世紀においては、その進化の象徴として「人工知能」が躍り出ました。人工知能は、私たちの日常生活からビジネス、医療、エンターテインメントまで、あらゆる領域に影響を与えており、これからの社会において不可欠な存在となりつつあります。

本書『生成AI法律入門』は、この新たなる時代の中で、法律と人工知能の交差点に立つ皆様に向けて執筆されました。私たちは、人工知能技術がもたらす潜在的な可能性と、それに伴う法的課題を理解することの重要性を認識しています。本書は、その理解を助け、先端技術が社会と法にどのように影響を及ぼすかを考える一助となることを目指しています。

……上記の2段落、実はOpenAI社「ChatGPT」(無償版) に書いてもらった本書まえがき案の抜粋です。──「生成AI法律入門」という書籍を執筆します。まえがき、の案を作ってみてください。──たったこれだけの私の指示（プロンプト）に対して、きわめて自然かつ意味のある文章を返してくることには、素朴な驚きと若干の脅威を感じます。

近時、このような対話型AIを中心として、AI（人工知能）に関する話題を目にしない日はないというほど、いわゆる生成AI（Generative AI）の社会における利活用が急速に進んでいます。ここまで話題となるのは、誰でも簡単にその実力を確認でき、現に社会の様々な場面・用途での利活用が急激に拡大しつつあるからでしょう。

しかし一方で、ビジネスにおいて対話型AIを利用することが事業者にもたらすリスク、画像などの非言語的コンテンツを生成するAIのクリエイティブ分野に与える影響、果ては人類の創造性や判断力を凌駕することへの恐れなど、生成AIが社会にもたらす可能性のある負の側面への注目も同時に高まっています。

生成AIの利用はますます拡大していくでしょう。やがて誰もがその影響を避けられなくなるはずです。法をはじめとする社会制度が、こうしたネガティブな面やリスクをどのようにコントロールできるか、まさに人類の叡智が問われる時代がやってきたといえます。

本書はこうした状況を踏まえ、主に法実務の視点から、生成AI（特に対話型AIと画像生成AI）に関連する法律や実務的トピックを幅広く紹介することを通じて、基礎的な知識から大まかな視座までを得られる入門書として企画されました。200ページ未満というコンパクトな内容ながら、主要な課題を網羅的に理解することができます。

本書のおおまかな構成は、次の通りです。

CHAPTER 1　「生成AIとは何か」では、法的な検討の前提として、そもそも生成AIとは何か、どのような種類やサービスがあるのか、実際の活用事例はどうか、といった基本的な情報を整理しています。

CHAPTER 2　「生成AIと関係法令の概要」では、生成AIを利用する場合にどの法律との関係で問題が生じるのかという視点から、例えば著作権、個人情報・プライバシーなど、多種多様な法律・法制度の基礎を解説しています。また倫理などの非法律的な観点や、諸外国の規制動向にも触れています。

CHAPTER 3　「種類別・場面別の検討ポイント」では、生成AIの種類別留意点について概観したあと、プロンプト入力場面、生成・利用場面、処理学習場面という3つの場面と、生成AIサービスを導入する際のポイントについて、広く解説を試みました。

CHAPTER 4「生成AIの未来と展望」では、生成AIにまつわる法政策の動向を中心として、今後世の中がどのように移り変わっていくこととなるか、その展望を示しています。

日本最大級の総合法律事務所である森・濱田松本法律事務所では、多くの所属弁護士が生成AIにまつわるご依頼・ご相談に日常的に向き合い、時には政府における政策立案にも関与する中で、生成AIに関する知見を日々蓄積し続けています。

本書は、こうした活動に関与する弁護士の有志が結集し、その知見の一端をお示しするものです。本書末尾の編著者プロフィール一覧をご覧いただければ、多様な取り扱い分野を持つ多くの専門家の関与のもとで本書が完成したことをご理解いただけるでしょう。本書の企画が2023年6月にスタートしてから、わずかな期間での出版にこぎつけられたのは、同僚たちの献身によるところがきわめて大きく、この場を借りて感謝の言葉を述べたいと思います。

また、朝日新聞出版の谷野友洋さんには、編集の面で多大なるお力添えを賜りました。私が谷野さんに編集をお任せした書籍は、2012年『デジタルコンテンツ法制』(生貝直人・一橋大学大学院教授との共著)から数えてすでに4冊目であり、この度も貴重な機会をいただけたことに感謝申し上げます。

本書が、生成AIと向き合う読者の皆様にとって、これから訪れる社会変革にどう対応するのかの良き道しるべとなれば幸いです。

2023年8月

編者を代表して　増田雅史

Introduction
to Generative
AI Law

LESSON 01 02 03 04 05

CHAPTER 1

生成AIとは何か

従来のAIと生成AIの最も異なる点は、専門的な知識がない一般人でも「指示」（プロンプト）を入力するだけで、新しいクリエイティブなコンテンツを生み出すことができることです。生成AIの法的な話の前に、そもそも生成AIとは何か、どのような種類やサービスがあるのか、どのようなインパクトをもたらすのか、実際のビジネスでの活用事例はどうか、といった基本的な情報を整理しています。

LESSON

01 生成AIの基礎知識

生成AIは、大量に学習させたデータをもとに、テキストや画像などのコンテンツを自動的に生成することができる人工知能（AI）

専門的な知識がなくても、誰でも「指示」（プロンプト）を入力することによって、簡単にテキストや画像の作成が可能

生成AI（「Generative AI」とも呼ばれます）とは、大量に学習させたデータをもとに、テキストや画像などの情報・コンテンツを自動的に生成することができる人工知能（AI）のことをいいます。生成することができるのはテキストや画像に限らず、音声や動画など様々な種類のコンテンツに対応可能な仕組みです。従来のAIと生成AIが大きく異なるのは、従前のAIはパターンの識別や、あらかじめ決められた行為の自動化に用いられることが多かったのに対し、生成AIは、専門的な知識がない一般人でも「指示」（「プロンプト」とも呼ばれます）を入力するだけで、新しいクリエイティブなコンテンツを生み出すことができる点です。特にOpenAIが2022年11月に対話型AIサービス「ChatGPT」を公開した後、利用の手軽さや自然な生成結果が大きな話題となり、急激に利用が拡大しています。生成AIは、日常的な事務作業からクリエイティブな用途まで、あらゆる分野に変革をもたらすポテンシャルを持っていることから、企業における業務上の利用にとどまらず、非常に多面的な注目を集めています。

生成AIの仕組み

生成AIの基本的な仕組みは、大きく分けて3つのプロセスに分けて考えることができます。

▶ データの処理学習

生成AIは、大量のデータから学習するディープラーニングにより構築されたAIモデルです。生成AIモデルが、プロンプトに従って品質の高いアウトプットを行うことができるようになるためには、あらかじめ大量のデータセットによって処理学習をさせる必要があります。このようにAIにデータを学習させるにあたっては、当初は人間によってラベル付けされた教師データが必要とされていたのですが、ラベル付けされていない膨大なデータによる学習が可能になるなど様々な技術的なブレークスルーを経て、アウトプットの精度が驚くほど向上しています。

▶ ユーザーによる指示（プロンプト）の入力

ユーザーは、生成AIに対して指示（プロンプト）を入力することによって、コンテンツを作成させます。例えば、対話型AIに対して「日本の縄文時代の歴史をわかりやすく要約して」と聞いたり、画像生成AIに対して「空を飛ぶリンゴの絵を描いて」といったプロンプトを入力することによって、生成AIが生成するコンテンツの内容をコントロールすることができます。こうした、日常的な言葉として理解可能な「自然言語」での指示に沿ったアウトプットを得られることが、これまでのAIにない大きな特徴といえます。プロンプトは文字で入力する場合もありますが、画像によって入力することができるものもあります。

▶ 生成物の生成・利用

プロンプトが入力されると、生成AIモデルは学習内容に基づいて、新しいコンテンツを生成します。アウトプットの種類は使用する生成AIモデルによって異なり、テキストや画像のほかにも、音楽や動画など様々なものを出力することが可能です。ユーザーはプロンプトをさらに加えて、生成のプロセスを繰り返すことによって、生成されたコンテンツの内容を、よりユーザーの意図に沿ったものへと変更することもできます。

生成AIの処理学習段階／生成・利用段階（一般例）

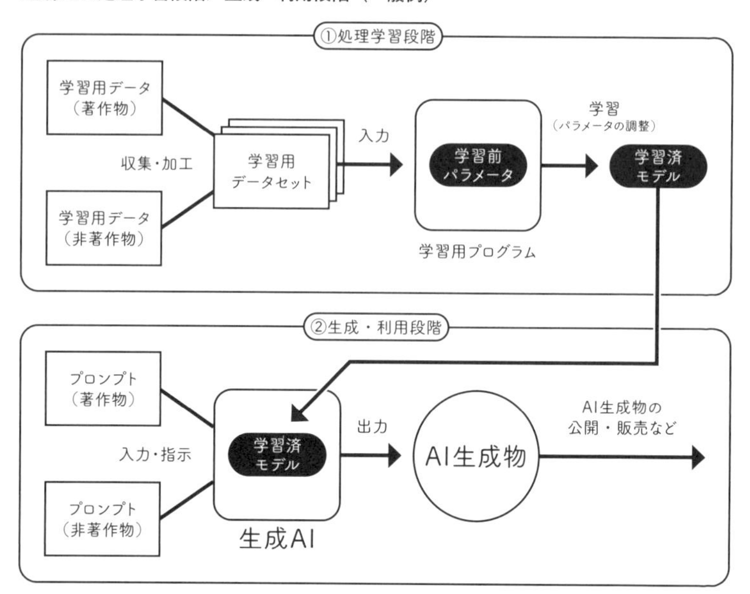

様々な応用パターン

生成AIの利用形態としては、文章を対話型AIにプロンプトとして入力して、文章のアウトプットを得るパターンが典型的な例ですが（Text to Text）、テキストや画像などコンテンツの種類をまたいで、新しいコンテンツを作成していくことも可能です。すなわち、文章を入力することによって画像を生成するパターン（Text to Image）、画像をインプットして新しい画像を生成するパターン（Image to Image）、さらには文章を入力して新しい音楽を作成するパターン（Text to Music）など、非常に様々なパターンがすでに生成AIサービスとして登場しています。

また、複数の生成AIを組み合わせて利用することも可能です。

よく聞く言葉「LLM」や「ハルシネーション」とは？

▶ LLM

LLMとは、大規模言語モデル（Large Language Model）の略であり、膨大なデータセットとディープラーニング技術を用いてトレーニングされた自然言語処理のモデルをいいます。言語モデルは、基本的に一連の単語の並びの中で、次に来る確率の高い単語を予測して出力するように訓練されています。例えば、「バターを塗った」という言葉の後には、「車」よりも「トースト」という単語が続く可能性のほうが高いということが訓練により学習され、結果として「バターを塗ったトースト」というフレーズが作られることになります。このモデルを大量のテキストでトレーニングすることで、より自然な単語の並び、文章を作成することができるので、生成AIの一種といえます。

LLMは、インターネット上をクローリングするなどして得た膨大な文章情報を学習用データとして、言葉の文法や関連度合いを詳細に学ぶことによって、より自然な文章を作成できるようになってきています。ChatGPTもこのLLMモデルの一種ですが、ほかにもGoogleがBard、MetaがLLaMAを発表するなど、多くのテクノロジー企業においてLLMモデルを用いた技術の開発や活用が進んでいます。

▶ ハルシネーション

上述したとおり、LLMモデルは基本的には次に来る確率の高い単語を予測して文章を作成するという仕組みであるため、質問についてまったく根拠のない虚偽の回答をする場合があります。例えば、「東京都のおすすめのカレー屋さんを教えて」といった質問をした際に、まったく存在しないレストラン名をあたかも実際に存在するかのように回答してしまう場合があります。このようにAIが事実に反する回答をすることを「ハルシネーション」といいます。これは、学習元データが古く、最新の情報を学習していないことに起因する事象です。

したがって、生成AIを利用する場合には、AIの回答が不正確である可能性を必ず考慮しなければなりません。

02 生成AIの種類

生成AIの主な種類としては、チャット形式によってテキストや文章を生成する対話型AI、画像データを生成する画像生成AIがある

対話型AI、画像生成AIのほかにも、音声や動画などのリッチコンテンツの生成が可能なものも。これらのAIに関する法律上の論点は、基本的には対話型AI、画像生成AIについての議論の延長として整理できる

対話型AI・画像生成AI

生成AIには様々な種類があります。特に代表的な生成AIの種類として、対話型AI、画像生成AIがあります。

▶ 対話型AI

本書において「対話型AI」とは、チャット形式でプロンプトを入力し、テキストや文章を生成することに特化した生成AIを指します。「テキスト生成AI」などと呼ばれることもあります。文章の要約や翻訳、対話システムの応答生成、プログラムの生成など、様々な自然言語処理タスクやプログラミングに使用されることが一般的です。代表的なサービスとして、OpenAIのChatGPTやGoogleのBardなどがあるほか、ウェブ検索と連動するものとして、MicrosoftのBing Chatなどがあります。

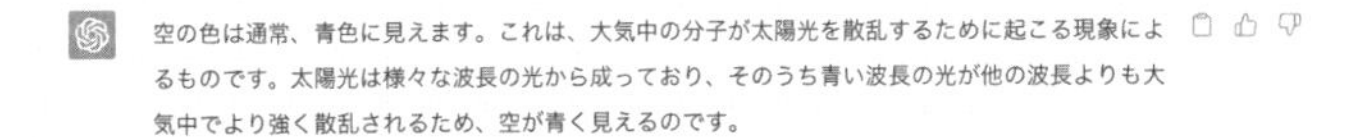

ChatGPTにブラウザ上で「空の色は何色」と入力した画面。ベースとなるLLMには、2023年8月現在、無料で使用できるGPT-3.5とより高度な創造性を伴った有料のGPT-4が存在する

▶ 画像生成AI

本書において「画像生成AI」とは、画像の生成に特化した生成AIを指します。例えば、「空飛ぶ車の絵を描いて」といったプロンプトを与えることで、簡単に、空を飛ぶ車というテーマに沿った新しい画像を生成することができます。代表的なサービスとしては、MidjourneyやStable Diffusion、Adobe Fireflyなどがあります。生成したいコンテンツのイメージをプロンプトとしてテキスト入力するだけで、イメージにおおむね沿った内容の画像データを生成することが可能であり、サービスにもよりますが、早ければ数秒から数十秒程度で新しい画像を生成できます。本来は多大な労力を要するはずの写実的な画像やイラストを手軽に生成できるため、クリエイティブ業界の業務サポートなどへの活用も期待されています。

音声や動画の生成AI

生成AIの種類は多岐にわたっており、上記の対話型AI、画像生成AIに限らず、ほかにも音声や音楽、動画などの動的要素を含むリッチコンテンツの生成に特化したAIもすでに存在しています。

生成AIの様々なパターン

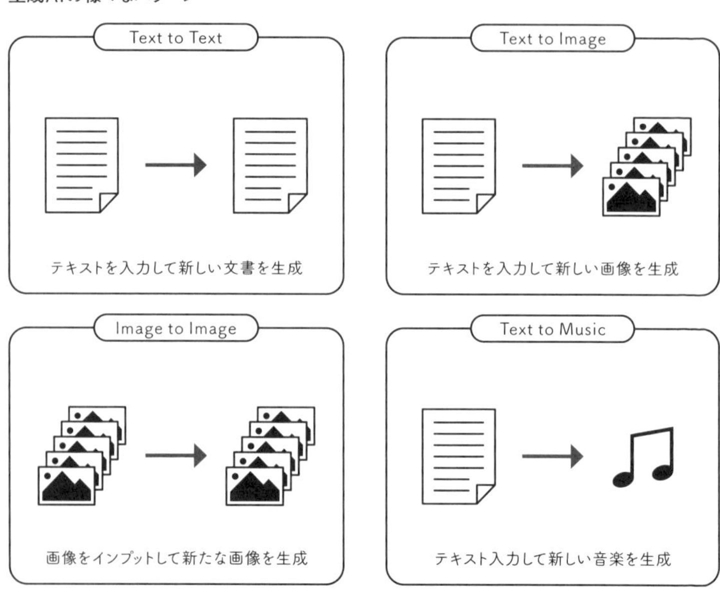

▶ 音声・音楽生成AI

音声や音楽の生成に特化した生成AIです。テキストから音声の合成を行ったり、楽曲の生成を行ったりすることができます。例えば、コールセンターのアナウンスに用いたり、特定の人の声を登録したうえでテキストの読み上げ等に活用されたりしています。

▶ 動画生成AI

動画の生成や変換に特化した生成AIです。例えば、入力されたテキストや画像から、リアルな動画を生成したり、動画のスタイル変換を行ったりすることが可能です。音声生成も組み合わせることによって、アバターにアナウンスをさせる動画を作成するといったことも可能です。こうした技術は、映画やドラマ等の制作においても活用されることが期待されています。

上述のとおり、生成AIサービスは、テキストや画像といったコンテンツをまたいで利用することが可能であり、また、コンテンツの作成プロセスにおいて複数の生成AIを組み合わせて利用することも可能です。こうした生成AIの技術は、テキスト、画像、映像／3D、音声などの領域において、今後も急速な進化が予測されています。それと同時に、いかに生成AIを活用するかという手法についても急速に開発が進んでいます。

本書では、特に広く利用されている対話型AIと画像生成AIをまずは念頭に、法律上の議論を整理します。動画生成AIなどのリッチコンテンツを生成するAIや、複数の生成AIサービスを組み合わせて利用する場合に関する議論は、基本的には対話型AIと画像生成AIについての議論の組み合わせや延長としてある程度の整理が可能であるためです。ただし、対話型AIと画像生成AIを除くAIについても、必要に応じて言及していることがあります。

LESSON 03

生成AIサービスの提供形態の違い

- 生成AIサービスが、オンプレミス型（自社内）であるのかクラウド型であるのかは、リスク分析に影響する
- 著作権侵害等のリスクの観点からすれば、生成AIの学習にどのようなデータが用いられたかという観点も重要なポイントといえる

オンプレミス型かクラウド型か

▶ オンプレミス型（自社内）

オンプレミス型の生成AIサービスは、企業が自社内のITインフラ上で展開、運用する形態のサービスです。生成AIモデルや関連するデータなどは、企業自身が管理するデータセンターやサーバに配置されます。ユーザーは自社のネットワーク内に置かれた生成AIサービスにアクセスし、プロンプトを送信することになります。

オンプレミス型には、データのセキュリティと管理が企業の管理下にあり、ネットワーク内での遅延が少ない利点があります。法律の観点からすると、例えば、利用の過程で第三者へのデータ送信が起こらないため、個人情報に関する論点を検討する必要がなくなります。

▶ クラウド型

クラウド型の生成AIサービスは、生成AIサービス提供事業者が提供するインフラ上で展開、運用される形態です。生成AIモデルや関連するデータ

などは、第三者であるプロバイダーが管理するデータセンターやサーバに配置されます。ユーザーはインターネット経由でプロバイダーのサービスにアクセスし、プロンプトを入力し、その生成物を受信することになります。

クラウド型には、インフラのスケーラビリティやメンテナンスの簡便さなどの利点があります。他方で、データのセキュリティと管理については、利用する側のコントロールが及ばない範囲が生じます。例えば、第三者へのデータの送信が伴うことは、個人情報の保護に関する論点が生じることとなるでしょう。入力したデータを第三者がどう利用するのかが不明である場合は、機密情報の取り扱いが難しくなるかもしれません。このように、クラウド型の生成AIサービスは、オンプレミス型にはない様々な論点を伴うこととなります。

学習用データのソース

生成AIモデルをトレーニングするためには、適切な学習用データを収集し、学習させる必要がありますが、学習用データのソースについては、公開されたデータセット、オープンソースプロジェクト、企業内のデータベースなどさまざまな形態を取ることがあります。学習されたデータの内容によって、著作権に関するリスクなどに違いが生じます。例えばChatGPTは、当初Wikipedia中の記事など第三者に著作権のある情報を学習用データセットとして利用したとされています。他方、AdobeがリリースしたAdobe Fireflyという画像生成AIにおいては、学習させるデータの範囲を、Adobe Stockやオープンライセンスが与えられている画像などに限定し、学習データのインプット時点で著作権に留意することで、生成データに関する著作権侵害リスクが生じないように配慮しています。

具体的な法的リスクについては後ほど解説しますが、このように生成AIサービスの利用にあたっては、学習データのインプット元も重要であるということに留意しましょう。

04 生成AIのもたらすインパクトと課題

生成AIは文章、画像、音楽などの新しいコンテンツを即座に作成できるという点を生かして、文章の作成・翻訳・要約やクリエイティブなコンテンツの作成など、さまざまな領域で活用されはじめている

生成AIの得意なこと

これまで述べてきたとおり、生成AIは、文章、画像、音楽などのコンテンツを瞬時に大量に作成することが可能です。自然言語で指示をすることができるという手軽さもあいまって、生成AIが活用できる可能性はまさに無限大ともいえ、多くの企業がその利用を模索しているところです。ホワイトカラーが行っている様々な知的生産活動を代替できるようになってきているといえます。例えば以下のようなタスクは、生成AIが得意としています。

▶ 自然言語処理タスク

生成AIは、自動的に大量の文章を生成したり、クリエイティブな文章の制作を支援したりすることができ、文章の作成・翻訳・要約に活用されてきています。生成AIにプログラムを記述させることにより、プログラミングやソフトウェア開発に利用する動きも活発です。

▶ 画像、音楽、映像などのクリエイティブなコンテンツの生成

生成AIは画像、音楽、映像作品など、クリエイティブな表現を生み出すのにも非常に役立ちます。生成AIを活用することで、異なるスタイルやトーンでの画像などを生成することができ、新たなアイデアの創出やそのヒン

トを得るための用途でも利用することができます。

▶ 会話とインタラクション

対話型AIは、自然言語処理の進歩により、人間との会話や質問に対する応答などのインタラクションにも優れたパフォーマンスを発揮します。ユーザーとの会話に応じて自然な回答を作成することができるため、チャットボットや仮想アシスタントとして活用され始めています。

これらは生成AIの活用例の一部ですが、実際には非常に幅広い分野での活用が進んでいます。生成AIの特性を生かし、今後、生産性の向上や、情報のアクセシビリティの向上、労働力不足の解決など様々な社会問題の解決に役立つことが期待されています。生成AIの導入が進むにつれ、人間の行う業務や求められるスキルセットについても変化が生じることになるでしょう。生成AIが得意なタスクについては今後生成AIに自動的に処理させることとなり、人間は、より創造性の高い業務や、ビジネスの意思決定、関係性の構築など、人間ならではの業務に集中していくことになるかもしれません。

生成AIの限界

生成AIは上述のとおり様々な領域での活用が進んでいますが、必ずしも万能ではないということに注意する必要があります。

Lesson 1で解説したとおり、大規模言語モデルは、何かを理解して文章を作成しているわけではなく、膨大なデータを基に、統計的に次に来る可能性が高い単語を予測して組み合わせて出力する仕組みです。そのため、対話型AIが全く事実に反する回答をする場合（ハルシネーション）がたびたび発生します。したがって、AI生成物を利用する場合には、生成された文章の内容が正確なものであるか確認する必要があります。

また、学習したデータの時点についても注意する必要があります。学習したデータの時点によって回答内容が最新の情報とは異なっている場合があります。生成AIを活用するにあたっては、こうした弱点を念頭に置きつつも、強みを生かすのに最適な活用方法を検討する必要があります。

05 ビジネスでの活用事例

特にChatGPTの登場後、生成AIを活用・検討する企業は非常に多く、業務効率化やマーケティング、カスタマーサービスなど様々な領域において生成AIの活用が進んでいる

帝国データバンクの「生成AIの活用に関する企業アンケート」によれば、2023年6月の時点で、生成AIを活用・検討している企業はすでに6割を超えているとされています。特に、ChatGPTの登場後は、その利用の手軽さから、さまざまなビジネス分野における活用の検討が進められています。以下では、生成AIのビジネスでの活用事例をいくつか紹介します。

▶ 自社向けのAIアシスタントサービス

業務の効率化のために生成AIを自社向けのAIアシスタントとして利用する例が出てきています。例えば、パナソニックは、業務生産性向上、社員のAIスキル向上、管理下にないAI利用リスクの軽減を目的に、ChatGPTの技術を用いた独自の生成AI「ConnectAI」を開発導入したことを発表しました。業務資料のひな型の作成やプログラミングコードの作成支援、統計データ分析の支援等に活用しています。また、将来的にはカスタマーサポートセンターのデータを活用し、カスタマーサポートに関する社内業務改善に生かしていくことも検討されています。

同様に、日清食品ホールディングス株式会社も、Azure OpenAI ServiceとMicrosoft Power Platformを活用した独自の対話型AI「NISSIN-GPT」を開発し、日清食品グループの国内事業会社(一部を除く)の社員に公開したことを公表しています。このように業務改善などを目的として、社内向けに独自の生成AIサービスを開発・導入するケースが増えてきています。

▶ カスタマーサービス

金融・保険などの規制業種を含め、特にサービス業においては、カスタマーサービスの応答への導入検討も盛んに行なわれています。生成AIを使用したチャットボットを構築することにより、顧客の質問や問題に対して、リアルタイムで適切な応答を生成し、カスタマーサポートの効率化やスケーラビリティの向上を図ることができます。

▶ ソフトウェアエンジニアリング

プログラミングも生成AIが得意な分野といえます。初期的なコードのドラフトや、コードの修正、エラー分析、新しいシステムの設計などに生成AIが強みを発揮します。生成AIを活用することによって、エンジニアの作業の効率性強化が見込まれます。

▶ オンライン広告の自動生成

生成AIを顧客向けのサービスの一部として提供するケースも増えてきています。Googleは、オンライン広告に生成AIを活用するサービスを企業向けに試験的にリリースしました。具体的には、広告主が集客をしたいと考えているウェブページのアドレスを入力するだけで、Google AIがそのページを要約し、キャンペーンと関連性が高く効果的なキーワードや、広告の見出し、説明文などの候補を自動的に生成し、提案することができるというものです。また、キャンペーンの効果を向上させる方法についてもGoogle AIにチャットで相談することもできるとされています。FacebookやInstagramを運営するMeta Platformsも、オンライン広告での生成AIの活用を公式に表明しています。

▶ 学習支援

株式会社ベネッセコーポレーションは、夏休みの自由研究をテーマに、小学生のいる家庭向けに、ベネッセが学習向けに独自にカスタマイズした生成

AI「自由研究お助けAI」を開発したことを公表しています。安全・安心に配慮しながら、AIキャラクターとのやり取りのなかで、自由研究のアイデアなどをみつけるためのヒントを提供するというものです。

このように、生成AIには、生産性の向上、効果的なコミュニケーション、新たなビジネスの創造など、様々なビジネス上の課題やニーズに対して価値を提供し、業務の在り方やビジネス自体を変革していくことが期待されています。

ビジネスで生成AIを活用していく場合、企業としてはどのような法律に留意する必要があるでしょうか。Chapter2では、生成AIを利用する様々な場面において関係する法律について、その概要を解説していきます。

Introduction to Generative AI Law

CHAPTER 2

生成AIと関係法令の概要

——生成AIを利用する場合にどの法律との関係で問題が生じるのか

生成AIの利用に際しては、既存の法律や規制が場面ごとに適用されるため、問題となりやすい法律のポイントを把握しておくことが重要です。生成AIを利用する場合にどの法律との関係で問題が生じるのかという視点から、多種多様な法律・法制度の基礎を解説しています。例えば著作権、個人情報・プライバシー、また倫理などの非法律的な観点や、諸外国の規制動向にも触れていきます。

06 生成AIの利用に関係する法律の概要

生成AIの利用に関係する法律は多岐にわたるが、特に著作権法、個人情報保護法、肖像権やパブリシティ権の問題などに留意する必要がある

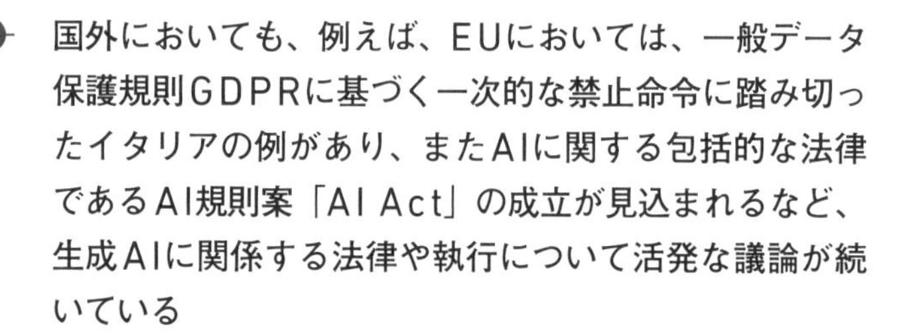

国外においても、例えば、EUにおいては、一般データ保護規則GDPRに基づく一次的な禁止命令に踏み切ったイタリアの例があり、またAIに関する包括的な法律であるAI規則案「AI Act」の成立が見込まれるなど、生成AIに関係する法律や執行について活発な議論が続いている

日本における生成AIに関係する法律

本書執筆時点では、生成AI自体を直接の規制対象とする法律はありません。生成AIの利用に際しては、既存の法律や規制が個別の場面ごとに適用されるため、特に問題となりやすい法律のポイントを把握しておくことが重要です。

生成AIの法的な問題を検討する際には、❶生成AIの学習段階、❷プロンプトの入力段階、❸生成物の利用段階それぞれに場面を分けて整理することが有用です。例えば、❶生成AIの学習段階において、どのようなデータを生成AIの学習に使ってよいか、❷プロンプトの入力が、法律違反や契約違反とならないか、❸AI生成物の利用が第三者の権利を侵害しないか、あるいは、AI生成物について権利が発生するかといった観点から問題を整理す

ることが考えられます。関連する法律は多岐にわたりますが、特に問題となりやすいトピックは、著作権法、個人情報保護法、肖像権やパブリシティ権、商標法・意匠法、不正競争防止法、消費者法、各種業規制などです。これらに加えて、生成AIの利用にあたっては、生成AIサービス提供事業者の利用規約やプライバシーポリシーなどの規定内容にも留意する必要があります。

詳細については、法律についてはChapter 2、場面別の留意点についてはChapter 3でそれぞれ説明することとして、ここでは概要を紹介します。

関係法律規制において特に問題となる生成AIの段階

	①学習段階	②プロンプトの入力段階	③生成物の利用段階
著作権法	○	○	○
個人情報保護法	○	○	○
肖像権・パブリシティ権	—	—	○
商標法・意匠法	—	—	○
不正競争防止法	○	○	○
消費者法	—	—	○
業規制	—	—	○

▶ 著作権法

まず対話型AI、画像生成AIいずれにおいても検討が必要な法律として、著作権法が挙げられます。著作権法は、創作性が認められる文章や画像などの著作物に対する法的な保護を定めた法律です。生成AIの利用との関係では、例えば、生成AIの学習段階・プロンプトの入力段階においては、他者の著作物を利用することが許されるのかという点が問題となります。Lesson 7やLesson 18およびLesson 20で解説するとおり、現行の著作権法においては、生成AIの処理・学習やプロンプト入力に他人の著作物を用いることが一定の範囲で許容されています。

また、AI生成物を利用する際に、どのような場合に他人の著作権の侵害に当たるのかといった点や、どのような場合に生成したコンテンツが著作物として保護され得るのかといった点も典型的に問題となります。Lesson 7で解説するように、仮に、AI生成物について、既存の著作物との類似性や依拠性といった要件が認められれば、著作権侵害が認められ、損害賠償請求や差止請求を受ける可能性があるほか、刑事罰の対象ともなりえます。著作権侵害の成立要件の一つである「依拠性」の解釈や、学習段階で利用可能とされる権利制限規定（著作権法30条の4）の妥当性や解釈が、大きな議論を呼んでいます。

▶ 個人情報保護法

生成AIの利用にあたっては、入力するプロンプトや、学習用データの中に、特定の個人に関する情報が含まれてしまう場合があります。こうした場合、個人情報保護法の観点からの検討が必要です。

個人情報保護法に関する主な論点として、生成AIの学習・プロンプト入力場面においては、個人情報の利用目的の規制や取得規制（適正取得・要配慮個人情報の取得規制）、第三者提供規制、越境移転規制などがあります。また、生成物の利用段階においても、利用目的規制や不適正利用の禁止といった論点が生じ得ます。Lesson 8で解説するように、特に、生成AIサービスへの個人データの入力場面においては、生成AIサービス提供事業者との契約内容によっては、「提供」に該当するか否か等、法的な整理が異なることとなり、対応事項も変わるため注意が注意です。

▶ 肖像権・パブリシティ権

生成AIによって、人の肖像等、特に著名人の肖像等を用いる場合には、肖像権、パブリシティ権の侵害の可能性が生じます。人の氏名や肖像は、個人の人格の象徴であることから、勝手に利用した場合には肖像権侵害となることがあります。また、特に著名人などについては、その肖像や名前は、その本人の人格やイメージと結びついているだけでなく、商業的な価値を持つことがあり、他者が無断でこれらを利用することは、パブリシティ権を侵害する行為となります。

生成AIとの関係では、Lesson 9で解説するとおり、生成AIの処理学習・プロンプト入力段階において、現実の人間の肖像を映した写真等を用いた場合、通常は、肖像権・パブリシティ権の侵害要件を満たすことはなく、処理学習・入力段階においてただちに問題となる場面は限定的といえそうです。

しかし、例えば、画像生成AIが実在する人物に酷似した肖像を出力する場合があります。このような場合に、肖像権・パブリシティ権の侵害があるといえるかといった点が主に問題となります。

AIが生成する肖像について、これまでの肖像権に関する議論と異なるのは、肖像と現実の被写体となった人物との同一性（AI生成肖像と被侵害主体の肖像が同一人物の肖像といえるか）および関連性（被侵害主体を映した写真がAIが生成する肖像の出力に影響を与えたか）があることが、当然の前提とはならない点です。実在の人物の画像が入力や学習に用いられておらず、画像生成AIが偶然に類似した人物の肖像を作成しただけである場合なども含め、AI生成物による肖像権・パブリシティ権の侵害となるか否かについてはいまだ確立された考え方や裁判例はありません。

▶ その他

著作権法や個人情報保護法、肖像権・パブリシティ権侵害の問題に加えて、生成AIの利用にあって検討が必要となる主な法律としては、商標法、意匠法、不正競争防止法、消費者法、そして個別の業規制などがあります。

▶契約・利用規約

法律の規制に加えて、契約違反とならないかという観点からも注意する必要があります。例えば、生成AIにプロンプトを入力しようとする情報に、契約上の守秘義務を負っている情報が含まれている場合には、そうした生成AIの利用行為自体が契約違反となる可能性があります。加えて、利用する生成AIサービスの利用規約によっては、生成コンテンツの利用方法や、サービスの利用の仕方自体が制限されている場合があり、それを守らなかった場合には利用規約への違反となるため、想定しているAI生成物の利用が利用規約に違反するものではないか事前に確認する必要があります。

また、自社の営業秘密や特許出願前の情報、その他機密性の高い情報が生成AIに入力されれば、その情報が法的保護を受けられなくなったり、セキュリティ上のリスクにさらされたりする可能性があるという点にも留意をする必要があります。

▶レピュテーションリスクなど

最後に、法律違反、契約違反とならなくても、生成AIが間違った情報を提供するリスクや、レピュテーションに与える影響についても留意する必要があります。すなわち、Lesson 1で解説したとおり、対話型AIは事実に反した内容を回答する場合があり（ハルシネーション）、また、学習用データの時点によっては、最新の情報に照らして誤った内容となる可能性が存在しています。その誤りの内容次第では、名誉毀損にあたると判断され、民事上、不法行為責任を負うこととなる可能性があります。また、正確な内容であるとしても、内容次第ではプライバシー権侵害と評価される可能性もあります。

また、法律違反とならなくても、生成AIの利用方法によっては、レピュテーションに大きな影響を与える可能性があります。集英社が生成AIで出力したグラビアアイドル「さつきあい」のデジタル写真集についても、特定の実在するグラビアアイドルに似ているといった指摘がなされ、販売を終了したことが話題になりました。生成AIの利用にあたっては、このような観点にも留意する必要があります。

欧州や米国における状況

Lesson 16で詳しく述べるように、欧州や米国においても、生成AIに関連する法律の整備や既存の法律に基づく執行について、活発な議論がなされています。

▶ GDPR

EUにおいて、生成AIを利用する際に特に無視ができない法律としては一般データ保護規則（GDPR）があります。実際、イタリアのデータ保護監督機関は、2023年3月、ChatGPTを運営するOpenAIに対して、使用の一時禁止命令を公表しました（その後、ChatGPT側の対応を踏まえ、禁止命令は解除されています）。主に問題とされていたポイントとしては、❶透明性の観点からの情報通知義務、❷個人データを学習する際の法的根拠、❸不正確なデータ出力の問題、❹子どもの保護の問題などがあります。その後、欧州データ保護会議（EDPB）においても、ChatGPTに関するプライバシー保護への懸念を検証するためのタスクフォースが立ち上げられました。EUにおいては、このように既存の法律に基づく執行がすでに始まっています。

▶ AI規則案

加えて、EUでは、生成AIに関する包括的な規制を含むAI規則案（AI Act）が、早ければ2023年内（適用開始は2026年ごろの見込み）に成立することが見込まれています。本書執筆時点におけるAI規則案のドラフトによれば、例えば、ディープフェイクの場合、AIを使用して作成したことを表示することが義務付けられるなど、ユーザーやAIサービスの提供者などに新たな義務が課せられることとなります。

▶ 米国における動き

米国においても、2023年4月に連邦取引委員会や司法省などが、AIの弊害に対処するための共同声明を公表しており、また、同年7月には、バイデン大統領が、AIが作った文章や映像について「AI製」であることを明示すること等を盛り込んだ新たなルールの導入について、Google、OpenAI、Metaなどの7社と合意したことを発表しました。ただ今回のルールは、AI開発を行う7社が参加する自主規制であり、業界全体に対する法的な拘束力はありません。今後、生成AIに関する法整備の議論が進む見通しです。

2023年のG7においても国際的ルールの議論の枠組みである広島AIプロセスが開始されるなど、国際的にルール整備が急ピッチで進められ、執行も強化されていくことが予想されます。今後も様々な動きが各国で起きると思われ、常に動向を注視していく必要があります。

07 著作権法と生成AI

著作権法によって、著作者には、自身の創作物の利用や、創作物に付随する人格的要素をコントロールする権利が認められている

現行の著作権法上、生成AIの処理・学習やプロンプト入力に他人の著作物を用いることは原則として認められている。ただし、AI生成物の利用場面においては、一定の場合には著作権侵害となる

AI生成物は、著作物にあたらない場合が多い。しかし、人間が思想または感情を創作的に表現するための「道具」としてAIを使用した場合には、AI生成物が著作物として保護を受けられる可能性がある

SNSを眺めていると、あなたの好きな人気作家の画風に非常によく似たイラストがタイムラインに流れてきました。よく見ると、そのイラストは「#AIイラスト」や「#AIart」のタグが付されており、「AI作家」を名乗る人物が、人気作家の既存作品を学習させた生成AIを用いて出力したもののようでした。しばらく経つと、当該人気作家によって、そのAIイラストに対して抗議をする声明が投稿されました。

AIイラストの投稿は、人気作家の何らかの権利を侵害するでしょうか。

また、別の日、あなたは最近話題の画像生成AIにオリジナルのプロンプトを入力して、イラストを作成することを思いつきました。あなたは意図したイラストを出力させるために、寝る間を惜しんで生成AIとプロンプトの勉強を重ね、ある日ついに好みのイラスト1枚を出力させることに成功しました。しかし、あなたが入力したプロンプトをまねて、あなたが出力したイラストによく似た作品を投稿する人物が現れました。

当該人物に対して、あなたは何らかの権利を主張することができるでしょうか。

人の創作活動の成果を保護する法律の一つに、著作権法があります。そして近年、生成AIは、その様々な場面において、既存の著作物についての権利者（著作権者）とのあつれきを生んでいます。前者の事例のように、処理・学習場面で他人の著作物が学習データとして用いられることや、プロンプト入力場面において、他人の著作物がプロンプトとして入力されることがあります。あるいは、生成・利用場面において、生成AIによって他人の著作物によく似た作品が出力され、当該生成物の利用をめぐって著作権者とトラブルになることもあるでしょう。

また、生成AIがはらむ著作権法上の問題は、他人の既存の著作物との関係にとどまりません。後者の事例のように、生成AIの利用者が生成AIに入力したプロンプトまたは出力した生成物について、著作権の主張をしたいと考える場合もあるかもしれません。このような場面では、プロンプトおよびAI生成物が著作物として保護を受けるのか、保護を受けるとして誰が著作権者となるのか、といった点が問題となります。

著作権制度の概要

▶ 著作権法の目的

著作権法は、人の精神的創作活動の成果を保護する法律の一つです。創作者（著作者）に対して、自身の創作物の利用や、創作物に付随する人格的要素をコントロールする権利を保障します。このように、著作権法は、個人の思想や感情の表現としての創作物に人格的な面も考慮した保護を与えるとともに、創作に対するインセンティブを生み出すことで、文化の発展に寄与することを目的としています。

▶ 著作物とは何か

著作権法上、著作物とは、「思想又は感情を創作的に表現したものであって、文芸、学術、美術又は音楽の範囲に属するものをいう」と定義されています(同法2条1項1号)。ここでいう思想・感情とは、特に学問的・哲学的・文学的である必要はなく、人の考えや気持ちが現れているものであればこれに当たると考えられています。他方、所与の客観的事実それ自体は保護の対象には含まれません。したがって、どれほど費用や労力をついやして重要な事実を発見し、それらを集約したとしても、事実の選択または配列に個性が認められる一部の編集著作物を除いて、当該集約物は著作物に該当しません。このように、事実が著作権法上保護の対象とはならないのは、事実自体に独占的権利を認めると、他者が新しい表現や学問をすることに対して委縮効果が働いてしまい、文化発展の弊害となるためです。

また、著作権法は「表現」を保護するものであって、思想または感情そのものを保護する法律ではないため、思想または感情が表現されずアイデアにとどまっているものについては、著作権法上の保護が及びません(思想・表現二分論)。アイデアに著作権法上の保護が及ばないのは、アイデアを誰もが利用な可能な領域にとどめておくことで、同様のアイデアを用いて新たな表現や学問をするインセンティブが社会に生まれ、文化が発展すると考えられているためです。例えば、単なる画風・作風は一般的には表現上のアイデアであって表現自体ではなく、著作権法上は保護されません。もっとも、表現とアイデアの線引きは容易ではなく、統一的な基準も存在しないため、表現として保護される範囲は、著作権法の趣旨に基づいて具体的な事案ごとに判断する必要があります。

さらに、著作物として著作権法上の保護が認められるためには、当該表現物に著作者の個性が何らかの形で現れている必要があり、誰が書いても同様の表現となるようなありふれた表現は著作物には当たりません。このように、著作権法上の保護を受けるために求められる表現の独自性を「創作性」といいます。

▶ 著作者に認められる権利

著作権法は、著作物を創作する者を著作者と定義しています。そして、著作権法は、著作物をコピーする権利（複製権）、他人に譲渡する権利（譲渡権）、インターネット上に送信する権利（公衆送信権）、変更を加えて新たな作品にする権利（翻案権）等の利用形態ごとの権利（支分権）の総体を「著作権」と定義して、これを著作者に与えています。これらの権利は、具体的には他人に対してコピーや送信を禁止する権利として機能するものであり、その裏返しとして、特定の他人に対して許諾を与える（それを通じてライセンス料を得る）ことが可能となります。著作権はこうした経済的な面を有すること、それ自体が譲渡可能であることから、財産権の一種だと考えられています。

また、著作権法は、著作権とは別の権利として、著作物を最初に公表する権利（公表権）、著作物の提供に際して氏名等を表示する権利（氏名表示権）、著作物の改変を受けずに作品としての同一性を保持する権利（同一性保持権）を著作者に与えています。これは創作に関与した著作者の人格的な利益を守るために付与されたものであり、著作者人格権と総称されます。いわゆる財産権とは区別されており、譲渡することはできません。

著作物が許諾なく利用され、著作権や著作者人格権が侵害された場合、権利者は、当該侵害をした第三者に対して、その侵害行為の差止めを要求したり、損害賠償を請求したりすることができます。

AI生成物による著作権侵害の可能性

▶ 処理・学習またはプロンプト入力に用いることが侵害にあたるか

生成AIの処理・学習場面で既存の著作物が学習データとして用いられる場合、または、プロンプト入力場面においてプロンプトとして入力される場合、こうした利用行為が既存著作物の著作権を侵害するかが問題となります。

著作物を、複製権等の各支分権に触れる形で利用する場合、原則として、著作権者の許諾が必要です。しかし、著作権法は、著作物の通常の利用を妨げず、かつその著作者の正当な利益を不当に害しないような具体的な行為態様を個別に取り上げ、例外的に著作者の権利行使を制限する規定を置いており（権利制限規定）、このような規定の対象となる利用態様については、著作権者に無断で行われたものであっても、著作権侵害とはなりません。例えば、著作権法は、他人の著作物を個人的にまたは家庭内等限られた私的範囲で複製したり、公表された著作物を学校教育の目的で教科書等に掲載したりすることを認めています。

生成AIの処理・学習の場面において既存著作物を用いる行為にも、権利制限規定が適用される場合があります。特に話題となっているのは、生成AIの学習用データとして既存著作物を用いる行為を原則として許容する、著作権法30条の4の規定です。この規定は、諸外国の類似の枠組みと比べても学習用途でのデータ利用を幅広く認めるものであって、この点から、わが国が「機械学習天国」であると評する向きもあります。これらの点については、Lesson 18およびLesson 20を参照してください。

▶ AI生成物を用いることが侵害に当たるか

では、他人の著作物によく似たAI生成物を利用する行為は、著作権侵害となるのでしょうか。

一般に、ある物が既存の著作物の著作権を侵害するか否かは、❶その物と既存の著作物との間に依拠性（既存の著作物を基に創作したこと）、および、❷類似性（創作的表現が同一または類似であること）が認められるかにより判断されます。❶依拠性については、当該作品が、作成者が既存の著作物に接し、それをよりどころとして自己の作品を作成した場合にはこれが認められます。❷類似性は、他人の著作物の表現上の本質的な特徴を直接感得できるかどうかによって判断されます。この点、表現上の本質的な特徴には、単なる事実の記載やありふれた表現、具体的な表現とは呼べないアイデア（作風や画風）は含まれないと考えられています。

生成AIについて考えていきます。まず、AI生成物と既存の著作物との間の❷類似性について、既存の著作物が学習用データとして学習モデルに用いられていたとしても、出力された作品は、必ずしも表現上の本質的な特徴を直接感得できる程度に酷似しているとは限りません。したがって、実際上の類否の判断はケース・バイ・ケースで行うこととなります。また、仮に類似性が認められた場合でも、次に、AI生成によって出力する際の❶依拠性の評価方法が問題となります。これらの点については、Lesson 19を参照してください。

AI生成物やプロンプトの著作権保護

▶ AI生成物が著作物として保護されるか

AI生成物は、著作物として認められるでしょうか。ある表現物が著作物に該当するためには、「思想又は感情」を「創作的に表現したもの」である必要があります。この点、思想・感情は人間固有の精神活動であるため、コンピュータによる表現には思想・感情が含まれません。また、コンピュータには個性がなく、個性の顕れとしての創作性も原則として認められないと考えられています。したがって、人間がごく短いプロンプトを入力するなど簡単な指示を与えるにとどまり、AIが自律的に生成したものは、思想または感情を創作的に表現したものとはいえず、著作物には該当しないと考えられます。これに対して、人間が思想または感情を創作的に表現するための「道具」としてAIを使用したと認められるような場合には、著作物に該当し、AI利用者が著作者となると考えられます。どのような場合に、人間がAIを「道具」として使用したといえるかについては、Lesson 19を参照してください。

▶ プロンプトが著作物として保護されるか

生成AIに入力するプロンプトについても、表現上の創作性がある場合には著作物として保護を受けることとなります。ありふれた表現とはいえないある程度の長さのテキストをプロンプトとして入力する場合には、当該プロンプト自体が、言語の著作物またはプログラムの著作物に該当する可能性があります。この点については、Lesson 18を参照してください。

08 個人情報・プライバシーと生成AI

- 生成AIの学習・プロンプト入力・利用の各段階において、データに個人情報が含まれる場合、個人情報保護法の規律に留意する必要がある

- 生成AIとの関係では、特に、個人情報の取得・利用の場面における利用目的規制、取得規制および不適正利用の禁止、提供の場面における第三者提供規制および越境移転規制、本人からの請求の場面における規律が問題となる

個人情報保護法の義務の全体像

生成AIの学習段階、プロンプト入力段階、利用段階のそれぞれの場面で事業者が収集、利用するデータに個人情報が含まれれば、その事業者は、個人情報保護法の規律に従って個人情報を取り扱う必要があります。

日本の個人情報保護法では、個人情報、個人データ、保有個人データのそれぞれに定義が置かれています。右ページの図のとおり、後者が前者に包含される関係にあり、段階的に規律が上乗せされる構造となっています。

個人情報保護法の規律は多岐にわたりますが、個人情報の❶取得、❷利用、❸保管・廃棄、❹提供、❺本人からの請求という情報のライフサイクルを念頭に置きつつ理解することが有用です。すなわち、個人情報については、取得、利用に関する規律が、個人データについては、それに加えて保管・廃棄、提供に関する規律が、保有個人データについては、さらに加えて開示等の請

個人情報取扱事業者の義務の全体像

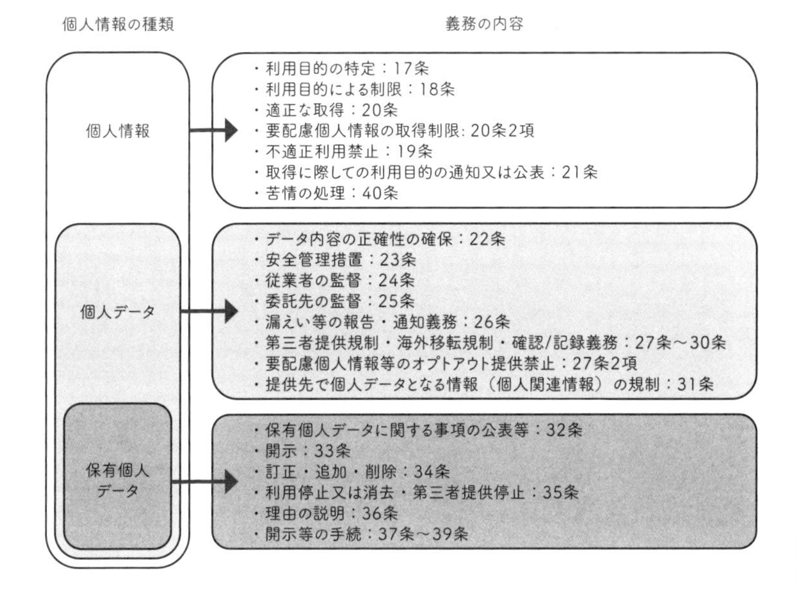

求に関する規律が課されます。

ここでは、生成AIの学習、プロンプト入力、利用の場面で特に問題となる、個人情報の❶取得、❷利用の場面における利用目的規制、取得規制および不適正利用の禁止、❹提供の場面における第三者提供規制および越境移転規制、❺本人からの請求の場面における規律を中心に解説します。なお、生成AIと個人情報保護法との関係に関しては、2023年6月2日、個人情報保護委員会が「生成AIサービスの利用に関する注意喚起等」(以下「利用注意喚起」といいます) および「OpenAIに対する注意喚起の概要」(以下「OpenAI注意喚起」といいます) を公表していますので、その内容についても解説します。

個人情報保護法上の定義

▶ 個人情報とは？

個人情報保護法における「個人情報」に該当するためには、「生存する」「個人に関する情報」である必要があります。故人や架空の人物は「生存する」に該当せず、法人情報や統計情報は「個人に関する情報」ではないため、個人情報に該当しません。

また、「個人情報」に該当するためには、「特定の個人を識別することができるもの」か「個人識別符号」が含まれている必要があります。「特定の個人を識別することができるもの」(個人識別性）の典型例は、氏名や顔写真ですが、住所や生年月日のような、それだけでは個人を識別できない特定の個人についての情報も、氏名等と組み合わせて保管される場合には、その全部が個人情報になります。

次に、「個人識別符号」は、それ単体で個人情報に該当します。個人識別符号に該当するものは、個人情報保護法に列挙されており、例えば、本人を認証することができるくらいの顔の容貌データやＤＮＡ、指紋等の生体情報や、旅券番号、マイナンバー、運転免許証番号等の公的機関が発行した固有の番号・記号が該当します。

さらに、個人情報には、その情報だけで特定の個人を識別できるものだけではなく、「他の情報と容易に照合することができ、それにより特定の個人を識別することができるもの」も含まれます（照合容易性)。例えば、ある企業が、顧客の氏名と顧客IDを含む顧客管理データベース（DB）と、顧客の氏名は含まないものの、顧客IDと商品購入履歴を含む購買履歴DBを別々に管理していた場合、購買履歴ＤＢだけからは特定の個人を識別することはできませんが、顧客管理ＤＢに顧客IDが含まれていることで、それをキーとして顧客管理ＤＢと容易に照合できます。この場合、購買履歴ＤＢに含まれる個人に関する情報も照合容易性があるとして、個人情報に該当します。

▶ 個人データとは？

個人データとは、個人情報データベース等を構成する個人情報をいいます。個人情報データベース等とは、特定の個人情報をコンピュータを用いて検索することができるように体系的に構成した、個人情報を含む情報の集合物をいいます。また、コンピュータを用いていない場合であっても、例えば、五十音順等に従って整理・分類するなどして、他人によっても容易に特定の個人情報を検索可能な状態に置いているものも該当します。つまり、１枚の名刺に記載された個人に関する情報は個人情報ですが、それを体系的にExcel等で整理した場合、そこに含まれる情報は個人データとなります。

▶ 保有個人データとは？

保有個人データとは、個人情報取扱事業者が、開示、内容の訂正、追加または削除、利用の停止、消去および第三者への提供の停止を行うことのできる権限を有する個人データをいいます。例えば、業務委託等により、委託元から個人データを預かっている場合には、その委託先には開示等の権限まで与えられていないことが通例ですので、その個人データは、当該委託先にとっては保有個人データに該当しません。

取得・利用に関する規律

▶ 個人情報の利用目的規制

取得・利用に関する規律としては、以下の利用目的規制が重要です。

❶個人情報の利用目的をできるだけ特定する必要がある（利用目的の特定)。
❷本人の同意を得ることなく、特定された利用目的の達成に必要な範囲を超えて個人情報を取り扱えない（利用目的による制限)。
❸個人情報の取得に際して利用目的を本人に通知または公表等する必要がある（利用目的の通知、公表等)。

生成AIサービス提供事業者が、生成AIを開発するために個人情報を取得し利用する場合や、生成AIサービスを利用する事業者（以下「ユーザー事業者」といいます）が、AIサービスを利用するに際して個人情報を入力する場合には、これらの利用目的規制が問題となります。これに関して、個人情報保護委員会は、以下のとおり注意喚起しています。

- OpenAI注意喚起

「利用者及び利用者以外の者を本人とする個人情報の利用目的について、日本語を用いて、利用者及び利用者以外の個人の双方に対して通知し又は公表すること」

- 利用注意喚起

「個人情報取扱事業者が生成AIサービスに個人情報を含むプロンプトを入力する場合には、特定された当該個人情報の利用目的を達成するために必要な範囲内であることを十分に確認すること」

利用目的規制の解釈として、まず、前ページ❶の利用目的の特定は「個人情報」が対象であるため、個人情報に該当しない統計情報は対象とならず、個人情報を統計情報に加工すること自体を利用目的とする必要はないと解されています。この点に関連して、生成AIサービス提供事業者が生成AIを開発する過程において、学習済みパラメータを得るために個人情報を利用する場合、利用目的規制の対象となるかという論点があります。

次に、利用目的規制の対象となる場合、前ページ❷のとおり、その取り扱いが特定された利用目的の範囲内である必要があります。ここで特定すべき利用目的は、個人情報の利用によって最終的に達成しようとする目的を特定すれば足り、それを達成するための手段としての「処理方法」まで特定する必要はありません。AIの利用は個人情報の利用の一過程であって、通常はそれ自体が最終的な目的ではないため、ユーザー事業者はAIを利用していることまでを利用目的として特定していないのが一般的と思われます。ただし、利用目的の特定の趣旨からすると、本人が自ら個人情報がどのように取り扱われることとなるか、利用目的から合理的に予測・想定できるようにする必要があるという観点から、近年、いわゆる「プロファイリング」(本人に関する行動・関心等の情報を分析する処理）を念頭に利用目的規制が厳格化されています。すなわち、本人がそうした分析が行われていることを把握していなければ、本人にとって想定しえない形で個人情報が取り扱われる可能性があり、これは合理的に想定された目的の範囲を超えているとも考えられることから、現在では、そのような分析処理をするのであれば、それ自体も利用目的として特定する必要があるとされています。そこで、ユーザー事業者が、生成AIサービスの利用に際して、顧客の個人情報を入力して、その評価を求めたり、傾向を推測させたりする場合には、従前特定した利用目的の記載で足りるかを慎重に検討する必要があります。

上記各論点の詳細はLesson 20を参照してください。

▶ 個人情報の取得規制

個人情報の取得に関する規制として、以下に留意する必要があります。

❶偽りその他不正の手段による取得の禁止（適正取得）。
❷要配慮個人情報を取得する場合には原則として本人の同意を得る必要がある（要配慮個人情報の取得規制）。

上記❷の要配慮個人情報とは、本人に対する不当な差別や偏見といった不利益が生じないように配慮を要する個人情報です。要配慮個人情報に該当するのは個人情報保護法に列挙されており、人種、信条、社会的身分、病歴、犯罪の経歴、犯罪により害を被った事実等が該当します。ただし、これらを推知させる情報にすぎないものは要配慮個人情報ではないとされています。したがって、例えば、宗教に関する書籍の購買にかかる情報等は信条を推知させる情報に留まるため、要配慮個人情報に該当しません。

生成AIとの関係では、要配慮個人情報の取得規制に特に注意が必要です。まず、生成AIサービス提供事業者が、AI開発に際してウェブ上の公開情報を学習用データとして利用することがあり得ますが、その公開情報には、要配慮個人情報が含まれる可能性があります。本人がSNSやブログ等で公開した情報や報道機関が公開した情報であるなど、本人の同意を得る必要がない例外に該当する場合はあり得るものの、全てがその例外に該当するとは限りません。このような状況に鑑みて、個人情報保護委員会は、OpenAI注意喚起で、以下の4点の措置を実施するよう求めています。

❶収集する情報に要配慮個人情報が含まれないよう必要な取組を行うこと。
❷情報の収集後できる限り即時に、収集した情報に含まれ得る要配慮個人情報をできる限り減少させるための措置を講ずること。
❸上記❶及び❷の措置を講じてもなお収集した情報に要配慮個人情報が含まれていることが発覚した場合には、できる限り即時に、かつ、学習用データセットに加工する前に、当該要配慮個人情報を削除する又は特定の個人を識別できないようにするための措置を講ずること。
❹本人又は個人情報保護委員会等が、特定のサイト又は第三者から要配慮個人情報を収集しないよう要請又は指示した場合には、拒否する正当な理由がない限り、当該要請又は指示に従うこと。

また、例えば、生成AIがある人物に対する前科を回答として出力してしまい、ユーザーである事業者がこの出力結果を受け取ってしまう可能性があります。このように、ユーザー側で要配慮個人情報を「生成」することについても、要配慮個人情報の「取得」にあたるとして本人同意が必要かどうか議論がありますが、そこまでは不要である（要配慮個人情報の取得規制は適用されない）との考え方が通説です。Lesson 19を参照してください。

▶ 個人情報の不適正利用の禁止

個人情報を利用する場面では、不適正利用の禁止にも留意が必要です。

違法又は不当な行為を助長し、又は誘発するおそれがある方法により個人情報を利用してはならない（不適正利用の禁止）。

個人の権利利益の保護という法の目的に鑑み、看過できないような方法で個人情報が利用されることがあれば、不適正利用として違法となり得ます。例えば、生成AIサービスにおいて出力される情報に不正確な情報が含まれることで、本人に対して不利益な結果が生じ得る場合には、生成AIサービス提供事業者における出力と、ユーザー事業者におけるその出力結果の利用のそれぞれについて、不適正利用となり得ます。個人情報保護委員会の利用注意喚起では、一般の利用者における留意点として、以下の言及がされています。

❶生成AIサービスでは、入力された個人情報が、生成AIの機械学習に利用されることがあり、他の情報と統計的に結びついた上で、また、正確又は不正確な内容で、生成AIサービスから出力されるリスクがある。そのため、生成AIサービスに個人情報を入力等する際には、このようなリスクを踏まえた上で適切に判断すること。
❷生成AIサービスでは、入力されたプロンプトに対する応答結果に不正確な内容が含まれることがある。例えば、生成AIサービスの中には、応答結果として自然な文章を出力することができるものもあるが、当該文章は確率的な相関関係に基づいて生成されるため、その応答結果には不正確な内容の個人情報が含まれるリスクがある。そのため、生成AIサービスを利用して個人情報を取り扱う際には、このようなリスクを踏まえた上で適切に判断すること。
❸生成AIサービスの利用者においては、生成AIサービスを提供する事業者の利用規約やプライバシーポリシー等を十分に確認し、入力する情報の内容等を踏まえ、生成AIサービスの利用について適切に判断すること。

生成AIによって出力される内容には不正確な内容が含まれる可能性があり、その内容次第では名誉毀損だと評価され、民事上、不法行為になり得ます。また、それが正確な内容であるとしても、内容次第ではプライバシー権侵害と評価される可能性もあります。そして、こうしたプライバシー侵害等の不法行為の成否を評価するにあたり考慮されるべき要素は、不適正利用の禁止に違反するかの検討に際しても考慮され得るとされています。そのため、ユーザー事業者においては、要配慮個人情報やそれを推知させる情報を生成すること自体は前記のとおり要配慮個人情報の取得規制には違反しないとしても、これにより利用者個人に重大な不利益を与える可能性のあるプロファイリングを行う場合には、不適正利用と評価される可能性もあります。そのため、当該分析・予測を実施する事実や、それに含まれるロジック、個人への影響・リスクについて明示し、本人同意を得ることが望ましいといえます。詳細はLesson 20を参照してください。

提供に関する規律

個人データを第三者に対して提供する場合には、原則として本人の同意を得る必要があります（第三者提供規制）。ただし、例外があり、例えば、委託に伴い個人データを提供する場合には、当該委託先は「第三者」ではないとされ、第三者提供規制は適用されません。

また、提供先が外国にある第三者である場合には、（委託先であったとしても）さらに義務が過重されます。提供先の国名やその国の個人情報保護法制などに関する情報を提供したうえで本人から同意を得るか、または、提供先との間で契約を締結すること等によって日本の個人情報保護法の基準に適合する体制を整備することが必要です（越境移転規制）。

生成AIの利用との関係では、第三者提供規制の適用の有無は、AIへの個人データの「入力」の場面と、AIからの個人データの「出力」の場面とで分けて検討する必要があります。なお、個人情報保護法では、提供先において個人データに該当しないよう加工しても、提供元の事業者にとって照合容易性を理由に個人識別性が認められる限りは、第三者提供規制の適用対象となると解釈されていることに留意する必要があります（提供元基準）。

▶ 生成AIへの個人データの入力場面

❶生成 AI への個人データの入力が「提供」に該当するか

まず、生成AIへの個人データの「入力」の場面（学習用データとしての使用や、プロンプトとしての入力）では、個人データの「入力」が生成AIサービス提供事業者への「提供」に該当するかが問題となります。「提供」とは、自己以外の者が利用可能な状態に置くことを意味しますが、個人情報保護法では、「クラウド例外」と呼ばれる解釈により、「提供」に該当しないとされる場合があります。これは、クラウドサービス提供事業者の設置するサーバに個人データを保存するとしても、クラウドサービス提供事業者が「当該個人データを取り扱わないこととなっている場合」、すなわち「契約条項によって当該外部事業者がサーバに保存された個人データを取り扱わない旨が定められており、適切にアクセス制御を行っている場合等」には、クラウドサービス提供事業者への個人データの「提供」に該当しないという解釈です。この解釈を生成AIサービスにも適用できれば、生成AIサービス提供事業者への個人データの「提供」に該当せず、提供規制の対象とはなりません。

この点、個人情報保護委員会の利用注意喚起では、以下のとおり言及されています。

個人情報取扱事業者が、あらかじめ本人の同意を得ることなく生成AIサービスに個人データを含むプロンプトを入力し、当該個人データが当該プロンプトに対する応答結果の出力以外の目的で取り扱われる場合、当該個人情報取扱事業者は個人情報保護法の規定に違反することとなる可能性がある。そのため、このようなプロンプトの入力を行う場合には、当該生成AIサービスを提供する事業者が、当該個人データを機械学習に利用しないこと等を十分に確認すること。

問題となる「個人情報保護法の規定」が具体的に摘示(てきし)されていないため、趣旨が必ずしも明らかではありませんが、機械学習に利用しないことが担保されていれば「提供」に該当せず、提供規制の対象とはならないとも読めます。したがって、少なくとも生成AIへの個人データの「入力」の場面では、入力情報を学習用データとして利用させないことで、提供規制の対象とはならないと整理することが可能と思われます。

❷「委託」に該当するか

前記❶を前提とすると、生成AIへの入力情報が学習用データとして利用される場合には、その時点で「提供」に該当します。しかし、その入力が個人データの取り扱いの「委託」に伴う提供であると整理できれば、本人同意の取得は不要となります。

「個人データの取り扱いの委託」とは、契約の形態・種類を問わず、事業者が他の者に個人データの取り扱いを行わせることをいいます。「委託」と構成する場合、委託先が委託に伴って取得した個人データを委託元のためではなく独自（または第三者）の目的で利用することはできません。委託元のための取り扱いと委託先独自の目的での取り扱いの線引きは難しいところですが、委託先が委託元の利用目的の達成に必要な範囲内で自社の分析技術の改善のために利用することは認められます。機械学習を前提に委託と構成する場合であっても、機械学習が無限定に認められる訳ではなく、少なくとも委託先での学習が委託元にとって直接または間接に利益になることが必要と考えられます。また、委託と整理する場合には、委託先への監督も必要となり、個人データの取り扱い状況を把握する必要があります。

もし「委託」と整理できない場合には、原則どおり本人の同意を得る必要があります。

❸越境移転規制への対応

入力情報が学習用データとして利用される場合で、生成AIサービス提供事業者が外国にある事業者の場合には、越境移転規制の対象となります。前記❶で「提供」に該当しない場合にはそもそも問題となりませんが、前記❷

個人データ入力場面における法的整理の3パターン

No.	「提供」の該当性	「委託」の該当性	越境移転規制
1	「提供」に該当しない ➡本人同意は不要		適用なし。ただし、安全管理措置を講じる必要がある
2	「提供」に該当する ➡委託の該当性を検討	「委託」の範囲内 ➡本人同意は不要（ただし、委託先に対する監督義務は負う）	適用あり ➡基準適合体制に依拠すれば、本人同意は不要
3		「委託」の範囲外 ➡本人同意が原則必要	適用あり ➡充実した情報提供のうえ本人同意を得る必要がある（契約内容によっては、基準適合体制に依拠できる場合もある）

で「委託」と構成する場合には、生成AIサービス提供事業者との間でデータ処理契約を締結するなどして、基準適合体制（日本の個人情報保護法の基準に適合する体制）を整備し、委託と基準適合体制を組み合わせて対応する必要があります。なお、必要な情報を提供して本人の同意を得ることで越境移転を行うことも可能であり、前記❷で「委託」と整理できない場合には、越境移転規制との関係でも本人同意を得るのが通例と思われます。

▶ 生成AIからの個人データの出力場面

出力された個人情報が「個人データ」であるとすれば、生成AIサービス提供事業者からユーザー事業者への個人データの第三者提供となり、原則として、生成AIサービス提供事業者が、出力された個人情報の本人から同意を得る必要があります。そして、仮に本人から同意を得られていないとすれば、対象となる個人データの第三者提供を受けたユーザー事業者には、不正取得の問題も生じることになります。

もっとも、生成AIの仕組みを前提とすると、そもそも生成AIサービス提供事業者から出力される情報は「個人データ」に該当せず、第三者提供規制の対象外であると考えられます。詳細はLesson 19を参照してください。

開示に関する規律

個人情報保護法は、一定の要件の下で、本人が個人情報取扱事業者に対し保有個人データにかかる開示、訂正等（訂正、追加または削除）および利用停止等（利用の停止または消去）を請求できる権利を認めています。ユーザー事業者側において保有する個人データについては、これらの権利の対象となるでしょう。一方で、生成AIサービス提供事業者において保有する個人情報は「保有個人データ」に該当せず、本人が生成AIサービス提供事業者に対する個人情報保護法上の請求権を行使することはできないと考えられています。詳細はLesson 19を参照してください。

LESSON

09 肖像権・パブリシティ権と生成AI

個人は、承諾なしにその容貌を撮影されたり、写真を公表されたりすることを拒否できる肖像権を有しており、特に著名人については、その肖像や名前を利用して勝手にビジネスをするような行為を拒否できるパブリシティ権を有している

生成AI技術の進歩により、限りなく本物の人間の姿に近い画像や動画が出力できるようになったため、生成AIやAI生成肖像の利用による肖像権やパブリシティ権侵害の問題が顕在化している

2023年6月、集英社が生成AIで出力したグラビアアイドル「さつきあい」のデジタル写真集の販売を終了したことが話題になりました。同社の「週刊プレイボーイ」編集部は、販売終了について、「制作過程において、編集部で生成AIをとりまく様々な論点・問題点についての検討が十分でなく、AI生成物の商品化については、世の中の議論の深まりを見据えつつ、より慎重に考えるべきであったと判断するにいたりました」と説明しました。その背景には、「さつきあい」が特定の実在するグラビアアイドルに似ているとの指摘が多くなされた、という事情があったようです。

近年、生成AI技術の進歩により、限りなく本物の人間の姿に近い画像や動画が出力できるようになっています。「さつきあい」の件のように、生成AIによって出力された肖像（以下「AI生成肖像」といいます）を商業利用する例も見受けられます。生身の人間には肖像権やパブリシティ権といった

権利があることから、実在する人物を撮影した画像や動画を生成AIの機械学習に用いたり、実在する人物の姿に酷似するAI生成肖像を公表したり使用したりする行為が、当該人物の肖像権やパブリシティ権を侵害しないかが問題となります。

肖像権・パブリシティ権とは何か

▶ 肖像権

判例によれば、人は誰でも、個人の私生活上の自由の一つとして、承諾なしにその容貌を撮影されたり、撮影された写真を公表されない権利、すなわち肖像権を有するとされています。肖像権侵害となるかどうかは、被撮影者の社会的地位、活動内容、撮影の場所、撮影の目的、撮影の態様、撮影の必要性等を総合考慮して、被撮影者の人格的利益の侵害が社会通念上受忍すべき限度を超えるかどうかにより決まるとされています。そして、人の容貌等の撮影が違法と評価される場合には、その容貌等が撮影された写真を公表する行為も、被撮影者の肖像権を侵害するものとして不法行為に該当することとなります。受忍限度の判断に際して、それぞれの考慮要素をどのように重みづけするかは定型化されていませんが、公人について公的な目的で撮影・公表がなされた場合には、社会的必要性が高いものとして受忍限度内であると評価される傾向があります。他方、私人を対象とする撮影・公表の場合には、受忍限度を超えるものと評価されやすい傾向があります。

▶ パブリシティ権

人の氏名や肖像（総称して「肖像等」といいます）は、個人の人格の象徴であるため、個人は、人格権に由来するものとして、これをみだりに利用されない権利を有するとされています。そして、著名人の肖像等は、商品の販売等を促進する顧客吸引力を有する場合があるところ、このような肖像等それ自体が有する商業的価値に基づく顧客吸引力を排他的に利用する権利は、パブリシティ権として人格権の一内容を構成するものとされています。他方、そうした著名人は、社会の耳目を集める等して、その肖像等を時事報道、論説、創作物等に使用されることもあるため、他人による使用を、正当な表現行為等として受忍すべき場合もあると考えられます。

そこで、著名人の肖像等を無断で使用する行為は、❶肖像等それ自体を独立して鑑賞の対象となる商品等として使用し、❷商品等の差別化を図る目的で肖像等を商品等に付し、❸肖像等を商品等の広告として使用する等、もっぱら肖像等の有する顧客吸引力の利用を目的とするといえる場合に限り、パブリシティ権を侵害する違法な行為となります。

生成AI利用時における肖像権・パブリシティ権侵害の可能性

▶ 処理学習・入力場面

生成AIと肖像権・パブリシティ権が問題になり得る場面として、まず、処理学習・入力段階において、現実の人間の肖像を含む写真または動画を学習用データやプロンプトとして用いる場面が考えられます。上述のとおり、肖像権とは、承諾なしにその容貌を撮影されない権利および写真を公表されない権利です。したがって、処理学習に用いられる写真が、被写体である人物の承諾なく撮影されたものである場合は、前者の撮影されない権利との関係で問題となり、肖像権侵害となる可能性があります。ただし、これはあくまで撮影段階の問題です。その後のプロセス、つまり写真または動画を学習用データやプロンプトに用いること自体は、「撮影」ではありませんし、かといって肖像の「公表」に該当すると解釈することも難しそうです。そうすると結局、処理学習や入力場面では、肖像権はあまり力を発揮しそうにありません。

また、パブリシティ権についても、機械学習に用いること自体は、上記の例示❶〜❸のような「もっぱら肖像等の有する顧客吸引力の利用を目的とする」行為には通常該当しないと考えられるため、処理学習・入力場面では問題となりません。

この場面における議論の詳細については、Lesson 18およびLesson 20を参照してください。

▶ AI生成肖像を利用する場面

次に、AI生成肖像が現実の人物に酷似していた場合において、当該肖像を公開したり、商業利用したりする場面が考えられます。AI生成肖像の肖像権侵害の問題が、従来の肖像権侵害のものと異なるのは、実際に撮影された写真が直接公開・商業利用されるのではなく、あくまで、多くの写真を学習用データとして機械学習した生成AIが、結果として偶然、特定の人物に酷似した肖像を出力したにすぎないということです。すなわち、従来の人物写真等の肖像の利用で前提とされていた、当該肖像と現実の被写体となった人物との同一性（AI生成肖像と被侵害主体の肖像が同一人物の肖像といえるか）および関連性（被侵害主体を映した写真がAI生成肖像の出力に影響を与えたか）が、AI生成肖像では当然の前提となってはいません。つまりAI生成肖像の場合は学習用データに当該人物の写真が含まれていたとしても、当該人物の写真はそれ以外の写真データと共に学習の過程においてパラメータ化されていることが通常であり、肖像権侵害を訴える人物の肖像との同一性および関連性は明確ではありません。さらにいえば、実際には学習データに当該人物の写真が含まれていないにもかかわらず、偶然に特定の人物に酷似した肖像が生成される可能性も否定できません。

したがって、AI生成肖像による肖像権侵害の問題を検討するに当たっては、この被侵害主体の肖像との同一性および関連性の有無および程度が侵害の違法性にどのような影響を与えるのかを考えることが重要になります。例えば、学習用データとして意図的に特定個人を学習させた場合には、当然に当該個人と実質的に同一かつ直接の関連性を有した画像が出力されることとなるでしょうから、肖像権侵害を肯定し得る場合もあるといえます。

また、現実の人物に酷似したAI生成肖像を利用する行為が、もっぱら肖像等の有する顧客吸引力の利用を目的とするといえる場合には、パブリシティ権侵害も成立する可能性があります。

なお、肖像権侵害またはパブリシティ権侵害を理由とする不法行為に基づく損害賠償請求については、行為者の故意または過失がある場合にしか認められません。これは、利用行為の差止め請求については故意や過失がなくとも認めら得ることとの大きな違いです。

この場面における議論の詳細については、Lesson 19を参照してください。

LESSON 10

商標法・意匠法と生成AI

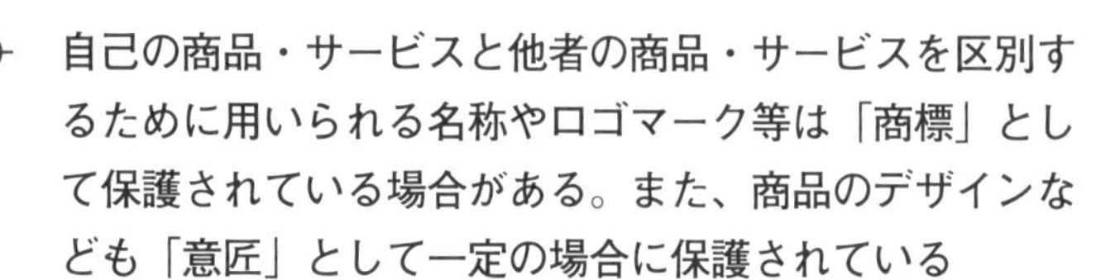
自己の商品・サービスと他者の商品・サービスを区別するために用いられる名称やロゴマーク等は「商標」として保護されている場合がある。また、商品のデザインなども「意匠」として一定の場合に保護されている

他者の商標・意匠と同一または類似するAI生成物を利用する場合には、他者の商標権・意匠権を侵害する可能性があることに留意が必要である

あなたがスマートフォンを買い替えるとしたら、何を基準に購入する商品を決めるでしょうか。値段や機能など、人によって様々な基準があると思いますが、見慣れた名称や親しみのあるロゴが付された商品の中から選ぶという人や、商品のデザインから選ぶという人も多いのではないでしょうか。スマートフォンに限らず、世の中で取引されている商品やサービスには、それまで企業が築き上げてきた信頼や、品質に対するイメージが紐づいており、消費者はその信頼をもとに購入したい商品を選び取ることができます。

しかし、ある商品と同じ名前の商品が、いろいろな会社から販売されていたとすればどうでしょうか。消費者は、本当に欲しいと思っていた商品とは異なる商品を誤って購入してしまうおそれがありますし、それによって、優れた商品が築いてきた信頼を他者が横取りする結果を招くことにもなりかねません。このような事態を避けるため、商標法は、商標として登録された商品名やパッケージに付されるロゴなどを対象に、「商標権」と呼ばれる独占権を与え、第三者による登録商標の使用を一定の場合に排除することによって、商品やサービスに対する信頼を保護しています。

また、商品のデザインなどは、一定の場合に意匠法による保護を受けることができます。意匠法は、商品のデザインが目に見えて簡単に模倣しやすいという性質を持つため、特許庁の登録を受けた意匠に「意匠権」と呼ばれる独占権を与えることで、新しいデザインの創作を促進すること等を目的としています。

生成AIの利用に際しても、生成AIに入力される情報に他者の商標・意匠が含まれている場合や、自社商品のロゴを生成AIを用いて作成する場合など、商標法・意匠法との関係を検討すべき場面が想定されます。本Lessonでは、生成AIの利用に際し、商標法・意匠法との関係ではどのような点に留意する必要があるのかを概観します。

商標法の概要

商標法による保護の対象となるのは、商品やサービスに付される名称やロゴマーク等の商標です。商標には、文字や記号等のみならず、三次元的な立体(例えば、ヤクルトのプラスチック容器などの容器の形状や、ペコちゃんなどのマスコットキャラクターの人形)や、音によって構成されるもの(例えば、ファミリーマートのテレビCMで流れるフレーズ)なども含まれます。

商標権は、特許庁において登録されることによってはじめてその効力が生じる権利です。商標権による保護を受けたい場合には、自分が商標を用いようとする商品またはサービスを指定して、商標権の登録を出願する必要があります(これを指定商品・指定役務といいます)。指定商品・指定役務は、例えば「食品、調味料」や「アルコール飲料」など、あらかじめ商品・役務を一定の基準によってカテゴリー分けした区分を踏まえて、具体的に記載する必要があります。

商標の登録が認められた場合、商標権者は、自己の商標と同一または類似する商標を無断で使用した者に対して、差止めや損害賠償等の請求を行うことができるようになります。なお、商標権の効力は、登録が認められた指定商品・指定役務に限って生じるものとされています。したがって、例えば、菓子を指定商品として商標の登録を得たからといって、ただちに同名のお酒に対して権利行使できることにはなりません。

また、商標法の分野においては、形式的な商標の使用行為だけでは商標権侵害は成立せず、商標としての使用、すなわち、自己の商品・サービスと他者の商品・サービスを区別するという機能（自他商品・役務識別機能）や、同一の商標が付されている商品やサービスの出所が同一であることを示す機能（出所表示機能）を発揮する態様での使用行為（これを商標的使用といいます）があってはじめて、商標権侵害が成立し得ると考えられています。ある商標の使用行為が商標的使用にあたらない場合には、誤認混同を招くなど登録された商標の機能が害されるおそれもないため、商標権侵害を認める必要はないといえるからです。したがって、例えば漫画のイラストをTシャツ前面に大きくプリントして用いる場合など、商標の本来的な利用から離れて、単に商品の装飾や意匠として商標が用いられている場合には、商標権侵害が成立しない場合もあります（もっとも、著作権侵害等が別途成立し得ることには注意が必要です）。

意匠法の概要

「意匠」とは、物品や建築物の形状、模様もしくは色彩もしくはこれらの結合、または画像であって、視覚を通じて美感を起こさせるもの（要するにデザイン）をいいます。商標と同様に、意匠権による保護を受けるためには、特許庁で登録を受ける必要があります。意匠登録にあたっては、新規性等の一定の要件を満たす必要があります。

意匠登録が認められた場合、第三者が意匠権者の許諾なく、その登録意匠と同一あるいは類似した意匠の物品等を製造したり、販売したりする行為は、意匠権の侵害になります。このような場合、意匠権者は、意匠権の侵害に対して、差止めや損害賠償等の請求を行うことができるようになります。

生成AIの利用における留意点

まず、生成AIの利用において商標法や意匠法が関係する場面としては、例えば、他者の商標や意匠として登録されているロゴやデザインをプロンプト入力に用いる場合など、生成AIに入力するデータに第三者の商標・意匠が含まれる場合のほか、対話型AIを用いて商品名を決定する場合、画像生成AIによるAI生成物をロゴマークに用いたりする場合など、AI生成物を自身の商標・意匠として用いる場合が考えられます。

ここで重要なポイントは、商標法では、どのような行為が商標の「使用」にあたるかについての定義が置かれている点です。そこでは、商品や包装に付する場合など、商品やサービスの提供に用いる場合のほか、広告目的で用いる場合などがこれにあたると規定されています。したがって、他者の商標を含むデータを生成AIに入力するだけであれば、そもそも商標の「使用」にあたる行為がない、また商標的使用に該当しないといえる場合が多く、商標権侵害が成立する可能性は低いといえるでしょう。

また、意匠権についても、意匠権が及ぶのは、基本的には、デザインと結びついた物品等の製造、使用等の行為（実施行為）に限られるため、そのデザインに関するデータのみを生成AIサービスに入力したとしても、通常は意匠権侵害にはならないと考えられます。また、画像意匠についても、生成AIサービスへ入力しただけでは実施行為がなく、意匠権侵害にはあたらないと考えることもできます。プロンプト入力場面の留意点については、Lesson 18を参照してください。

他方で、AI生成物を利用する場合には一層の注意が必要です。他社の商標や意匠と同一または類似するAI生成物を、自身の商品名やパッケージに採用したり、広告宣伝のために利用したりする場合には、他者の商標権・意匠権を侵害してしまう場合も想定されます。

このように見てくると、純粋な個人による生成AIの利用が商標権や意匠権の侵害にあたる場合はあまり想定されないといえます。他方で、商品やサービスの販売等にあたってAI生成物の利用を検討する場合には、著作権等に加えて、商標権や意匠権を侵害することがないかという点にも十分留意する必要があると考えられます。登録された商標・意匠は公開されており、誰でも簡単に検索することができるため、他者の商標権・意匠権を侵害していないか、事前に調査を行うことが重要といえるでしょう。

LESSON 11

不正競争防止法と生成AI

- 不正競争防止法は、事業者の営業上の利益を害する一定の行為を、「不正競争」に該当するものとして規制する法律である

- 生成 AI にデータを入力する場面では、営業秘密や限定提供データが、不正競争防止法による保護の対象から外れないように留意する必要がある。AI 生成物の利用場面では、他人の周知表示・著名表示との関係や、商品形態の模倣にあたらないかなどを検討する必要がある

不正競争防止法は、事業者間の公正な競争を確保することを目的とした法律で、一定の行為を「不正競争」として禁止しています。不正競争防止法は、民事・刑事両方の観点から不正競争を規制することによって競争秩序を維持すると同時に、知的財産権の保護に資するという側面も有しています。近年の法改正で、いわゆるビッグデータ等を保護の対象とする「限定提供データ」に関する規定が創設されたほか、今後もメタバース等のデジタル空間におけるブランド・デザインの保護を強化する改正法の施行が予定されているなど、IT・データの分野においても重要な役割を果たす法律です。

本Lessonでは、生成AIの利用に際して、どのような点が不正競争防止法との関係で問題になり得るのかを概観します。

不正競争防止法の概要

不正競争防止法は、著作物や商標などの一定の客体に権利を付与すること

で知的財産の保護を図る他の知的財産法とは異なり、「不正競争」に該当する一定の行為を規制することで知的財産の保護を図っています。不正競争に該当する行為は、差止めや損害賠償等の民事上の請求の対象となるほか、営業秘密の侵害など一定の類型に対しては刑事罰も規定されています。「不正競争」行為とされているものには、例えば、以下のようなものがあります。

▶ ❶周知な商品等表示の混同惹起

他人の商品等表示（商品の出所または営業の主体を示す表示をいい、商号や商品の容器・包装等が含まれます）として周知なものと同一または類似する表示を使用したり、そのような表示を付した商品を販売したりすることによって、他人の商品や営業との混同を生じさせる行為は、不正競争にあたります。周知な商品等表示が有する営業上の信頼やイメージを自己のものと誤認させることによって、顧客を横取りする行為を防止するための規定です。「周知」とは、取引の相手方となる需要者に広く知られていることを意味します。全国的に知られている必要はなく、一地方において知られていることでも足りると考えられています。商標法と類似の趣旨を有する規定ですが、登録されていない商標等も保護の対象としている点で異なっています。

▶ ❷著名な商品等表示の冒用

他人の商品等表示として著名なものと同一または類似の表示を自己の商品等表示として使用したり、そのような表示を付した商品を販売したりすることも、不正競争とされています。著名表示を勝手に使われると、現実に混同は生じない場合であっても、ブランドイメージが汚染される等の問題が生じることから、❶と異なり混同は要件とされていません。したがって、「著名」といえるためには、❶の「周知」よりも広く、全国的に、特定の者を表示するものとして一般的に知られていることが必要と考えられています（著名性が認められた例として、「ルイ・ヴィトン」や「三菱」の名称および標章〈スリーダイヤのマーク〉などがあります）。

▶ ❸他人の商品形態を模倣した商品の提供

他人の商品の形態（単なる形状だけでなく、その形状に紐づいた模様や質感なども含まれます）を模倣した商品を販売したりする行為も、不正競争にあたります。「模倣」とは、他人の商品の形態に依拠してこれと実質的に同一の形態のものを作り出すことをいうため、独自に創作した商品が結果的に類似している場合等はこの規制の対象とはなりません。こちらは意匠法と類似した規制といえますが、❶と同様、登録されていないデザインであっても保護の対象となる点で異なっています。

▶ ❹営業秘密の侵害

営業秘密を不正に取得する行為や、第三者に開示する行為など、営業秘密に関する一定の不正行為も、不正競争にあたります。「営業秘密」とは、秘密として管理されていること（秘密管理性）、事業活動に有用な技術上または営業上の情報であること（有用性）、公然と知られていないこと（非公知性）という要件を満たす情報をいいます。

秘密管理性が認められるためには、情報を管理する者が主観的に秘密であると認識しているだけでは足りず、「マル秘」の表示を付したり、アクセス制限を設けたりすることによって、秘密として管理する意思が従業員等に対して明確に示され、従業員等がその意思を認識できる必要があります。例えば、退職時に顧客情報を持ち出して転職先に開示する行為などが規制の対象となりますが、実際にも多くの事例が蓄積されてきた類型といえます。

▶ ❺限定提供データの不正取得等

限定提供データに関する不正行為も、不正競争の一類型です。限定提供データとは、業として特定の者に提供する情報として（限定提供性）、電磁的方法により相当量蓄積され（相当蓄積性）、および、管理されている（電磁的管理性）技術上または営業上の情報をいいます（ただし、秘密として管理されているものは❹の営業秘密として保護されるため、限定提供データには含まれません）。いわゆるビッグデータを念頭に、事業者が第三者に提供する情報を保護することを目的とした規定です。

生成AIの利用における留意点

それでは、このような「不正競争」行為に関する規制は、生成AIの利用において、どのように関係するでしょうか。

▶ AI生成物の自己の商品等表示としての使用

生成AIの利用に際し、他人の商品等表示にあたる文字列や、商品形態の画像等をプロンプト入力に用いるだけであれば、前記❶〜❸の類型にはあたらないといえるため、不正競争に該当する可能性は低いといえます。

しかし、AI生成物を自己の商品等表示として使用する場合には、他者の周知表示との混同を生じさせないか（前記❶の類型）や、著名表示の冒用に該当しないか（前記❷の類型）を検討する必要があります（この点については、Lesson10も参照してください）。また、AI生成物を商品デザインに採用する場合には、上記❸の類型が問題となり得ますが、この場合には依拠性の有無も重要なポイントになると考えられます。

▶ 営業秘密・限定提供データの入力

生成AIへのプロンプト入力の場面で特に留意しなければならないのが、営業秘密や限定提供データの入力です。前記❹❺のとおり、不正競争防止法において営業秘密や限定提供データとして保護を受けるためには、秘密管理性や限定提供性などの要件を満たすことが必要です。したがって、例えば、生成AIサービス事業者が秘密保持義務を負っていないにもかかわらず、従業員が自社の営業秘密や限定提供データを生成AIサービスにプロンプトとして入力することを許してしまうと、秘密管理性や限定提供性などの要件が失われ、当該データが不正競争防止法の保護の対象から外れてしまうおそれがあります。この点については、Lesson18を参照してください。

LESSON

12 契約と生成AI

契約は、当事者の申し込みと承諾という意思表示によって成立するが、生成AIが関与する場合でも、その背後にいる当事者の意思表示があるといえれば、有効に契約が成立する

生成AIが関与する契約においても、民法やその他の法律による修正（規制）を受けることとなるが、生成AIが関与する契約に特化した法律は現時点ではなく、当事者間の契約・約款により適切な取り決めが行われることが期待される

私たちは、日常生活やビジネス等の様々な場面で、いろいろな他者との間で、様々な内容の契約を締結しています。契約というと大げさに聞こえるかもしれませんが、例えば皆さんがコンビニでジュースを買う行為も、契約書を作成していないだけで立派な売買契約です（その場で代金の支払いと商品の引き渡しが完了する売買契約）。様々な主体の間で、様々な内容の契約が日常的に締結され、かつ履行されていますが、AI、特に生成AIの登場によりこの契約関係はどのように変化し、またどのような点に留意する必要があるのでしょうか。

想定される法律関係

本書執筆時点では、生成AIを通して行われる契約はあまり見受けられませんが、現時点でも銀行の融資審査などAIを間接的に利用した契約は存在

しており、今後の生成AIの発展により、契約締結に向けた意思決定や意思表示の一部または全部をAIに委ねるようなビジネスや仕組みは増加することが見込まれます。例えば、メールの自動送信システム等が挙げられます。大量にメールのやりとりを行う事業者等にとっては、メールのやり取りによって成立する契約が、あらかじめ用意している定型的な契約であるような場合には、煩雑なメール対応業務の一部または全部を生成AIに担わせ、どんどん契約を成立させる、といった運用方法も今後考えられるかもしれません。また、生成AIが契約書自体を作成することも十分考えられます（こうした法的な業務の支援AIと弁護士法との関係については、Lesson 14を参照してください）。

現段階における生成AIの信用性・正確性を考慮しますと、いまのところ、上記のように意思決定を完全に委ねてしまうような運用方法は考えにくく、生身の人間がメールや契約書の内容を確認するプロセスを経ることが通常であるように思われます。しかし、今後技術が十分に発展し、人々の生成AIを含むAI全体への信頼感が向上するのであれば、難解な契約書の作成（特に外国語のもの等）や、日常大量に行われるメールのやりとりについて、生成AIの作業に依拠するあまり、人による確認が徐々におろそかになるといった事態は十分に考えられます。本Lessonでは、特に生成AIが契約の意思表示に関与する場合に注目して、その過程でどのような問題が生じ得るのか、現在の法律の枠組みではどのような整理が可能なのかを検討します。

契約とは

教科書的には、契約は、申し込みと承諾という意思表示の合致により成立すると考えられています。というと、さらに「申し込み」とは？「承諾」とは？「意思表示」とは？という疑問が湧いてくるのではないかと思います。民法上の議論を突き詰めると深い話になってしまうのですが、簡単にいえば、「申し込み」は、それをそのまま受け入れるという相手の意思表示（承諾）があれば契約を成立させるという意思表示で、「承諾」は申し込みに対するOKの意思表示です。例えば、Aさんが「リンゴを1つ100円で売ってください」というのが売買契約の申し込みの意思表示だとしたら、Bさんが「いいですよ」と申し込みにOKの返事をするのが承諾の意思表示であり、この２つが合致した場合に、売買契約という契約が成立するとイメージしていただければよいでしょう。さらに、「意思表示」の意味について、こちらも学説上は非常に細かく深い議論があるのですが、ここでは簡単に内心の意思（法律学では、「効果意思」と呼ばれることもあります）を相手に示すのが意思表示だと考えてください。

私的自治と法律による修正

法律関係は原則として、それを形成する個人や法人等のそれぞれの意思によって自由に形成することができるという考え方が一般的です。これを「私的自治の原則」といいます。これは、皆さんにとっては当たり前の発想かもしれませんが、「自分のことは自分で決める」という考えに端を発する原則であり、これは契約関係にも妥当します。つまり、個人や法人は、自分の自由な意思に基づき、意思の合致さえあれば、原則としてどんな契約でも成立させることができます。そもそも契約を締結するか、誰と締結するか、さらにはどのような内容の契約を締結するかも、当事者の意思により自由に決めることができるというわけです。これを「契約自由の原則」ともいいます。

しかし、私的自治・契約自由の原則を無制限に認めると、逆に問題も出てきます。当事者間に情報や交渉力の点で不均衡がある場合に、一方にとって有利な契約を交渉力の弱い者に押し付けることができてしまうのは社会にとって不都合であることはおわかりいただけると思います。また、何らかの理由により内心とは異なる意思表示が行われてしまった場合、例えば、本当はリンゴを1つ100円で購入したかったのに、間違えて「リンゴを１つ100万円で売ってください」という申し込みの意思表示をしてしまい、かつ、この申し込みが承諾されてしまった場合、必ずそのままの内容で売買契約が成立し、100万円を支払う義務を負うこととなってしまうとしたら、やはり問題がありそうです。

法律は、このような私的自治・契約自由の原則を貫くことによる不都合を修正するため、民法やその他の法律によってこれらの自由に介入する可能性を認めています。例えば民法においては、内心と意思表示の不一致が生じた場合にどのように解決を行えばよいのか、複数のパターンに応じた規定を設けています。上記のリンゴの例では「錯誤」という類型に該当するとして、民法の規定に従い一定の場合にその意思表示を取り消すことができます（なお、特に上記の例に挙げた当事者間に情報や交渉力の不均衡が存在する場合は、消費者契約法をはじめとする「消費者法」分野で対応が行われていますが、この点についてはLesson 13を参照してください）。

これまでに説明したことは、機械が関与して成立する契約においても基本的には同じことがいえるでしょう。機械を用いた契約は、現在に始まったことではなく、自動販売機における飲料の売買もその一つですし、最近はスーパーの無人レジも一般的なものになるなど、私たちの日常生活の中にもすでに浸透しているといえますが、結局は、購入者による購入の意思表示（申し込み）に対して、機械が自動的に応答することによって取引が成立する（販売機や店舗による申し込みに、機械を操作する購入者が応答することによって成立する、という見方もありますが、結果は同じことです）だけで、契約成立の構造自体はまったく同じです。つまり、❶機械を用いた個人や法人の申し込みと承諾という意思表示の合致により契約は成立する、❷原則として、契約を成立させるか否かやその内容は、その機械を用いた本人（個人や法人）の自由な意思に委ねられているが、❸民法やその他の法律によって一定の修正を受ける可能性がある、という枠組みが妥当するということになります。

AIの特殊性

生成AIを含むAIを用いた契約の場合にも、自動販売機やスーパーの無人レジと同様に上記の枠組みが妥当するでしょうか。

従来の機械に比べてAIがここまで革新的なものとして世間で注目されている理由の一つとして、AIの「自律性」という特性が挙げられます。つまり、これまでの機械とは、人間の操作に対応してあらかじめ定められた一定の作用を発現するものであり、人間の判断・決定に従うもの、という前提のもと利用されてきたわけですが、AIは、膨大な量のデータを深層学習した結果、確率的に情報をアウトプットすることが特徴として挙げられます。そのため、AIからのアウトプットは、必ずしもAIに指示を与えた人間の判断や決定が反映されたものとは限らず、一定の自律性を有するといえます。ここで、このような自律性を持ったAIが契約に関与した場合、その裏側にいる個人や法人にその契約締結の結果について責任を負わせることはできるのか、その根拠はどこにあるのかといった、これまでにない新たな疑問が生じることとなりました。

この点に関する議論はまだ始まったばかりですが、上述したように、契約は当事者の申し込みと承諾の意思表示が合致すれば成立するのが原則であり、AIが関与したとしても、やはりその意思表示に対応する内心の意思（効果意思）が認められれば、その契約の当事者はAIの背後にいる本人（個人や法人）であり、各当事者がその契約内容に拘束されるといえそうです。もちろん、AIが全く勝手に当事者も想定していなかった契約を締結してしまった場合は、当事者の内心の意思を観念することができず契約は成立しないといえますが、上記の考え方の下では、AIを利用する者において、仮にAIの判断に従うという意思があると認められるのであれば、たとえAIの自律的な判断の根底にあるアルゴリズムを理解していないとしても、その判断に伴う責任を負うという包括的な意思表示があると認められる可能性はあるでしょう。そのため、AIの自律性という特徴は、結局は従来の契約成立に対する考えの枠組みの本質にはさほど影響を与えないと考えられます。

そして、これまでにも私的自治・契約自由の原則が民法やその他の法律によって修正されてきたのと同じように、AI利用者の包括的な意思表示を認めることが必ずしも妥当とはいえず、原則の修正を要する場面も出てくるようにも思われます。例えば、企業が準備したAIシステムを用いてその企業と個人間の契約が締結されるといった場合、そのAIを主に「利用」しているのは個人ではなく企業側なのではないか（よってAIの動作が個人の意思表示を反映したものとはいいづらいのではないか）、とも思われます。少なくとも、このAIシステムに不具合があり、それにより想定外に個人側にとって不利な契約内容となった場合に、その結果を個人に押し付けることは、公正な結論とはいえないでしょう。

もっとも、本書執筆時点では、AIが契約に関与した場合を特に規律する具体的な法律は存在しません。そのため、AIを利用した契約を締結する場合は、民法やその他の法律の規制を受けながら、また企業がAIを利用したサービスを提供する場合は消費者との関係やレピュテーションリスクを念頭に置きつつ、各当事者間のAI利用に関する契約（約款を含みます）を丁寧に検討することが最善の策であるように思われます。企業が生成AIサービスを導入するにあたって、具体的にどのような点を検討すべきかについてはLesson 21で解説していますので、そちらをご参照ください。

COLUMN _ AIは契約の当事者になるか？

これまでの議論は、あくまで個人（自然人）や法人が契約の主体となることを念頭に置いてきたが、AI自体が契約当事者になることはあるのだろうか。SF映画で見るような、きわめて高度な知能を持ち、人間と変わらないような理性・感情を持ち合わせたAIロボットが登場した場合、そのようなAI自体が契約当事者になるということは考えられるだろうか。

少なくとも現在の法律の枠組みでは、法律関係の主体たり得るのは個人（自然人）または法人とされており、法人も民法その他の法律により認められた場合にのみ成立することとなる（法人法定主義）。そのため、少なくとも個人（自然人）ではないAI自体が契約当事者となるためには、AIに別途法人格や権利能力が認められるような法律の制定が必要だが、いまのところこのような法律は存在しない。

そのため、現在の法的枠組みの中では、AI自体は契約の当事者になることはできず、また代理人となることもできないと考えられている。

13 消費者法と生成AI

消費者との契約には消費者契約法、特定商取引法、景品表示法等の消費者法が適用される

対消費者で生成 AI を利用する場合、特に不当勧誘、不当表示といった消費者法違反に注意する必要がある

消費者と事業者との間の契約関係には、消費者法という分野の法律が適用されます。消費者法とは、消費者と事業者との間に情報の質および量ならびに交渉力の格差があることから、消費者を保護するために、事業者が消費者と取引を行ううえでのルールや消費者の権利などを定めた法律の総称です。代表的な法律としては、消費者契約法、景品表示法（以下「景表法」といいます）、特定商取引法（以下「特商法」といいます）等があります。

生成AIを利用して消費者にサービスを提供する場合や生成AIサービス自体を消費者に提供する場合、サービス提供事業者と消費者との間に契約関係が存在しますので、消費者法による様々な規制が適用される可能性があります。本Lessonでは、事業者が生成AIを利用して消費者にサービスを提供する場面において、どのような消費者法の規定が適用されるのか、消費者法の観点からどういった点に留意する必要があるのかを検討します。

生成AI・消費者・事業者間の法律関係

そもそも「消費者」「事業者」とは誰を指すのかという点ですが、消費者法全体で統一的な定義はなく、個々の法律を参照することになります。例えば、消費者契約法では「『消費者』とは、個人（事業として又は事業のため

に契約の当事者となる場合におけるものを除く)」と定義され、「『事業者』とは、法人その他の団体及び事業として又は事業のために契約の当事者となる場合における個人」と定義されています。また、特商法では、個人による契約締結でも「営業のために若しくは営業として締結するもの又は購入者若しくは役務の提供を受ける者が営業のために若しくは営業として締結するもの」については適用除外とされています。本書では消費者法の詳細な議論を行うことが目的ではありませんので、「消費者」とは事業とは無関係に消費活動を行う個人を指し、「事業者」とは事業を行っている法人(会社等)または個人を指すものとイメージしてもらえれば十分です。

例えば、ホテル事業者がそのホームページ上に、消費者の希望する宿泊日や宿泊条件などを入力し、質問などができる対話型AI機能を設置して、実際に消費者がそこでAIとの間で様々な会話をして、場合によってはそのやり取りの中で予約も完結させるような仕組みを考えてみましょう。この場合、対話型AIを利用してチャットサービスを提供するホテル事業者は、消費者との間でホテル宿泊に関する契約を締結するツールとして対話型AIを利用しており、消費者法が適用され得ることになります(なお対話型AIを通じたやりとりと契約の成否については、Lesson 12を参照してください)。

どのような問題が生じ得るのか

▶ 生成AIと不当な勧誘行為

生成AIを利用して事業者と消費者の間で取引が行われる場合、どのような問題が生じ得るのでしょうか。例えば、上記のように、対話型AIがホテルの宿泊料金などの情報を消費者に対して提供した場合、その回答内容に誤認や困惑を生じさせる内容があるかもしれません。

消費者契約法は、事業者が、消費者に誤認や困惑を生じさせるような方法で契約締結を勧誘することにより、消費者の自律的な意思決定がゆがめられることを防ぐため、そのような事業者による勧誘行為を「不当な勧誘行為」として規制しています。消費者は、不当な勧誘行為を原因として自身が行った契約の申し込みまたは承諾の意思表示を取り消すことができます。以下は、不当な勧誘行為を原因とする取り消しが認められる具体的なパターンです

（これ以外にも取り消しが可能となる場合がありますが、生成AIによる勧誘行為と関連する類型に限定して記載しています）。

誤認による取消し

【事業者が以下に掲げる行為をしたことにより、消費者が事実を誤認し、それにより契約の意思表示を行った場合】

- 重要事実について事実と異なることを告げること（不実告知）
- 将来の変動が不確実な事項につき断定的判断を提供すること（断定的判断の提供）
- 契約締結にあたり重要な事項等について、消費者の不利益となる事実を故意または重過失により告げないこと（不利益事実の不告知）

困惑による取消し

【事業者が以下に掲げる行為をしたことにより、消費者が困惑し、それにより契約の意思表示を行った場合】

- 消費者が、社会生活上の経験が乏しいことから、(i) 進学、就職、結婚、生計その他社会生活上の重要な事項や、(ii) 容姿、体型その他身体の特徴または状況に関する重要な事項に過大な不安を抱いていることを知りながら、その不安をあおり合理的根拠なく契約の目的となる者が当該願望を実現するために必要である旨を告げること
- 消費者が、加齢または心身の故障により判断力が低下し、生計、健康その他の事項に関しその現在の生活の維持に過大な不安を抱いていることを知りながら、その不安をあおり合理的根拠なく契約を締結しなければ現在の生活の維持が困難となる旨を告げること

消費者の意思形成に直接影響を与える不特定多数向けの広告が「勧誘」に該当し得ると考えられていることからも、消費者が生成AIに一定のワードを打ち込んだことに対応して、当該ワードに関連する商品やサービスを生成AIにより「おすすめ」のものとして提案する場合、それが広告の目的で表示されているのであれば、事業者による「勧誘」に該当するといえます。

したがって、生成AIを自らの消費者向け事業に利用しようとする事業者としては、生成AIの提供する回答内容に、上記の「不当な勧誘行為」に該当する内容が含まれていないか留意する必要があります。例えば、事業者がコールセンターに代わって消費者からの質問に答えるようなチャットボットシステムを自らのホームページに設置することは、対話型AIの活用例としてよく挙げられますが、このような場合で、対話型AIが消費者に対し、契約の勧誘を行うに際して重要な事項について事実と異なることを告げた場合、その契約は消費者から取り消しされる可能性があるということに留意する必要があります（なお、対話型AIが正確でない回答をしてしまう現象、ハルシネーションが生じることについては、Lesson 1を参照してください）。

この場合、チャットボットシステムの裏側で動作する対話型AIが、勧誘を行った事業者ではなく他社が提供するものであったとしても、実際に勧誘を行ったのは消費者契約の相手方となる事業者であるため、消費者契約法の取り消しに係る規定の適用を免れることはできません。他方で、こうした事業者に対して対話型AIを提供する側の企業においても、このような不当勧誘行為に協力したり、知りながらあえて放置していたりした場合には、消費者契約の相手方となる事業者と共同で不法行為責任を負う可能性も否定できません。また、提供する対話型AIサービスの信用性低下というレピュテーションリスクも懸念されます。そのため、消費者契約の相手方となる事業者が不当な勧誘行為を行ってはならないことはもちろん、対話型AIを提供する事業者においても、提供先の事業者により不当な勧誘行為が行われないように注意する必要があります。ただし、注意といっても、提供先の事業者による勧誘行為をモニタリングすることは事実上不可能ですので、対話型AIを用いた不当な勧誘行為を禁止行為として定めたり、不当な勧誘行為と評価され得る出力ができるだけ抑止されるように学習・調整を行うことが現実的な対応策になるでしょう。

▶生成AIと不当表示

近年、いわゆる「ステルスマーケティング」（ステマ）と呼ばれる広告手法が問題となっています。ステマとは、実態は事業者による広告宣伝であるにもかかわらず、第三者により行われているように見える広告宣伝の方法をいいます。例えば、事業者がインフルエンサーと呼ばれる有名人に対し金銭等の対価を提供して、その有名人のSNSやYouTube動画などで自社の商品やサービスを広告宣伝するように依頼し、有名人が、一見して事業者の依頼に基づくものであるとはわからない形で商品やサービスの広告宣伝を行うような場合です。

ステマは、一律に否定されるべきものではないとの意見もありますが、実態としては事業者による広告宣伝であるにもかかわらず、消費者にとってそのことがわからない（第三者による広告宣伝であると誤認する）とすれば、そのような広告宣伝は、一般消費者の商品選択における自主的かつ合理的な選択を阻害するものといえます。そこで、新たに景表法に基づく告示が指定され、2023年10月1日から、「一般消費者が事業者の表示であることを判別することが困難である表示」が禁止されました。これにより、第三者による広告宣伝であっても、実態としてその表示内容を事業者が決定しているような場合には、それが事業者による広告であることを「広告」「宣伝」「プロモーション」「PR」といった文言により明記しなければ、不当表示として景表法に違反することになりました。

事業者が自ら運営するホームページにAI生成物を表示する場合においても、広告であるとは明瞭にわからない態様（例えば広告である旨の表示が周囲に比べて小さい表記や、視認しにくい位置に表示する場合も不明瞭な表示とされています）で自己の商品やサービスを購入・利用するように誘導するような表現が用いられる場合は、ステマを含め、景表法による不当表示の規制を受ける可能性があるため、企業としてはその表現に留意する必要があります。

事業者がこの不当表示規制に違反した場合、措置命令の対象となり、当該行為の差止め、再発防止に必要な事項、これらの実施に関連する公示等を命じられる場合があり、不当表示の中でも優良誤認表示（商品やサービスの内容について実態と異なり著しく優良であると誤認させる表示）または有利誤認表示（取引の条件について実態と異なり著しく有利であると誤認させる表示）をした場合には、課徴金納付命令や刑罰の対象となります。

こうした不当表示規制に違反した結果、一般消費者の誤認排除のための新聞広告等による公示が命じられたこともあり、企業のレピュテーションリスクの観点からは、決して軽視できるものではありません。

▶ その他（生成AI等を第三者に提供する場合）

事業者が開発した生成AIや生成AIを用いたサービスをホームページやアプリ等で広告し、申し込みを行った個人に有償で提供する場合、特商法の通信販売に関する規制が適用され、その広告に、販売価格、支払い方法、商品の引き渡し時期、および返品特約に関する事項等の一定の事項を記載する必要があります（実際には、販売ページそれ自体が広告と評価されますので、そのページの中や、そのページからリンクされる別のページにおいて、「特定商取引上の表示」などと題して必要事項をまとめて掲載することが一般的です）。またこの場合、誇大広告や同意を得ない電子メール広告の提供の禁止等の規制にも服することとなります。

さらに、生成AIや生成AIを用いたサービスの提供について消費者との間で契約を締結すると、有償無償を問わず、消費者契約法の規制が適用されます。消費者契約法が適用されると、上記で説明したとおり不当勧誘行為の場合の取消権が生じるほか、事業者の損害賠償責任を免除したり、消費者の解除権を放棄させたり、消費者が支払う損害賠償金額を予定したりするような、消費者の利益を一方的に害する条項は無効となります。このような条項を規定していると、それ自体が無効となるだけでなく、適格消費者団体から差止請求訴訟が提起されるリスクもあるため、事業者としては、消費者との契約書や利用規約にこのような条項が含まれないように注意する必要があります。

14 業規制と生成AI

- 生成AIを利用して第三者にサービスを提供する場合、各種業法におけるライセンスが必要とならないか等、業規制との関係を確認する必要がある

- 例えば、対話型AIを活用した金融商品に関する情報提供については、金融規制に基づくライセンスが必要となる場合がある。対話型AIが法律アドバイスをする場合、弁護士法との抵触が問題となる

生成AIの特性と事業への活用

すでに述べてきたように、生成AIは、学習用データをもとに新しいアウトプットを「生成」できるという特性を有しています。例えば、対話型AIは、大量のテキストデータを学習して次に来る確率の高い単語を予測できるように訓練された大規模言語モデル（LLM）を用いることにより、未加工のデータ（プロンプト）を受け取り、要求されたときに統計的に可能性のある単語をつなぎ合わせて出力するモデルであり、学習用データの制約を受けることなくオリジナルな結果を生成することが可能です。また、対話型AIは、大規模言語モデルをユーザーとの「対話」という目的のために調整（ファインチューニング）したモデルであり、ユーザーの入力したプロンプトに対して、対話形式での回答が返されるようになっています。

このような対話機能に着目し、生成AIを様々な事業に活用する動きがあります。その方法としては、大別して、「生成AIを自社サービスに組み込ん

で第三者に提供する方法」と「自社内での業務効率化等のために生成AIを利用する方法」が考えられます。

このうち、生成AIを自社サービスに組み込んで第三者に提供する場合には、当該サービス提供をするために各種業法に基づくライセンスが必要にならないか、各種業法が禁止している行為に該当しないかといった業規制との関係に注意が必要となります。例えば、対話型AIを活用することによって、金融商品に関する情報や法律に関するアドバイスをユーザーに提供するサービスを開発することも、技術的には可能ですが、そのようなサービスは金融規制法や弁護士法に抵触する可能性があります。

注意が必要となり得る業規制は業界によって様々ですが、本Lessonでは、金融規制法や弁護士法を中心に紹介をしたいと思います。

金融規制法

▶ 金融規制法とは

銀行・証券会社・保険会社などの金融機関は、利用者保護の観点や金融システムの健全性・安定性確保などの観点から、各業態特有の法律や自主規制機関（日本証券業協会など）が定める規則による規制を受けながら金融業務を営んでいます。例えば、銀行であれば銀行法、証券会社であれば金融商品取引法、保険会社であれば保険業法などによる規制を受けています。このような金融機関や金融業務を規律する規制を金融規制といい、当該規制を定める法律を金融規制法といいます。

金融規制には様々な種類がありますが、その一つに、金融商品の販売等を業として行うためには、金融規制法に基づくライセンス（免許や登録等）を取得しなければならないという規制があります。例えば、投資を考えている人に対して特定銘柄の株式の売買を推奨・勧誘する行為は、これを業として行う場合、金融商品取引法に基づく「金融商品取引業」もしくは「金融商品仲介業」の登録、または、金融サービスの提供に関する法律に基づく「金融サービス仲介業」の登録を受けることが必要となります（次のページの表も参照）。

主な金融規制法に基づくライセンス

預金・銀行ローン・為替取引（送金）の締結の媒介	銀行代理業の許可（銀行法52条の36第1項） 金融サービス仲介業の登録（金融サービス提供法12条・11条2項）
保険契約の締結の媒介	保険募集人の登録（保険業法276条） 保険仲立人の登録（保険業法286条） 金融サービス仲介業の登録（金融サービス提供法12条・11条3項）
有価証券売買・デリバティブ取引の媒介等	金融商品取引業の登録（金融商品取引法29条） 金融商品仲介業の登録（金融商品取引法66条） 金融サービス仲介業の登録（金融サービス提供法12条・11条4項）
貸金の媒介	貸金業の登録（貸金業法3条1項） 金融サービス仲介業の登録（金融サービス提供法12条・11条5項）
暗号資産の売買・交換の媒介	暗号資産交換業の登録（資金決済法63条の2）

▶「業として行う」とは

上記のとおり、金融規制法は基本的に「業として行う」行為だけを規制対象としていますので、これに該当するかどうかは一つの重要なポイントです。金融商品の販売等を「業として行う」とは、金融商品の販売等を「反復継続し、社会通念上、事業の遂行とみることができる程度」に行うものをいいます。もう少し深掘りしますと、金融商品の販売等を「反復継続の意思をもって行えば足り、必ずしも報酬利益を得る意思や、実際にそれを得たことは要せず、相手方が不特定多数であることも要しない」とも解されています。

▶ 生成AIサービスの提供との関係

一般的な用途に開発された対話型AI（特定の用途に向けて開発された大規模言語モデルを用いたり、特定の用途に向けたファインチューニングやプロンプト・エンジニアリングが行われたりしていない対話型AI）であっても、例えば、ユーザーの年齢・職業・投資に関する知識や経験・財産状況・投資目的・購入を希望する有価証券の種類（上場株式等）等の情報とともに、「購入を推奨する上場株式を教えて」といったプロンプトが入力された場合に、当該プロンプトに対応し、「●●に推奨される上場株式の銘柄は、以下のとおりです」等のアウトプットが対話形式で出力される可能性があると思われます。

このような対話型AIの場合、有価証券の購入を希望するユーザーに対して特定銘柄の上場株式の購入を推奨・勧誘するような内容のアウトプットが出力される点を重視すれば、金融商品等の販売を業として行うものにあたるとして、金融規制法に基づくライセンス（この例であれば、「金融商品取引業」、「金融商品仲介業」または「金融サービス仲介業」の登録）の取得が必要とされる可能性があります。

これに対し、学習用データを基に統計的に次に来る可能性のある出力を生成するという対話型AIの仕組み自体を重視すれば、「推奨する上場株式」というユーザーが入力したテキストデータに対応して、学習用データを基に統計的に次に来る可能性のある単語（上場株式の銘柄情報）を表示させているに過ぎないのであって、対話型AIの開発・利用者が当該ユーザーに対して当該銘柄の上場株式の推奨をしようとする意思はない（金融商品等の販売を業として行っているものではない）との立場をとることも考えられます。

現時点では、後者のような整理が許容されるかは不明確です。よって、一般的な用途に開発・利用する生成AIにおいても、金融商品等の推奨や勧誘に関連するアウトプットに対しては、個別銘柄を推奨する文言がアウトプットされることがないようにフィルタリングをかけたりする等の対応をしておくことが、金融規制違反のリスクを回避する観点から望ましいと思われます。

なお、一般的な用途ではなく、金融商品の勧誘や助言等にフォーカスした生成AI（金融商品の販売や助言等の用途に向けて開発された大規模言語モデルを用いたり、特定の用途に向けたファインチューニングやプロンプト・エンジニアリングが行われたりしている対話型AI）を開発・利用するような場合には、積極的に金融商品の販売や助言等を与えることを意図しているとして、金融規制法に基づくライセンスの必要性が肯定されやすくなると思われます。

▶ 金融商品の販売等に生成AIを利用する場合の注意点

預金やローン、保険、有価証券の販売勧誘等の目的にフォーカスして生成AIを利用する場合（自社の販売勧誘アプリに生成AIをAPI連携する等の場合）、そのような販売勧誘等には金融規制法が適用されることになります。

金融規制法は、上記のようなライセンス取得を求める規制のほか、どの事業分野も、ライセンスを得た事業者の金融商品の販売等に関する下記のような禁止行為を定めています。

- 契約の締結またはその勧誘に関して、顧客に対し虚偽のことを告げる行為
- 不確実な事項について断定的判断を提供したり、確実であると誤解させるおそれのあることを告げて勧誘する行為
- （特に保険の場合）保険契約の契約条項のうち保険契約者または被保険者の判断に影響を及ぼす重要事項を告げない行為

生成AIには、ハルシネーション（回答が事実と反してしまう現象）の存在や、学習している情報が一定時点よりも前のものであるために学習時点以降の最新情報を踏まえない回答がなされてしまうという特徴があります。

そのため、金融商品の販売等に生成AIを利用する場合（例えば、チャットボットを利用した顧客への商品説明や情報提供を行う場合や、住宅ローンの金利を低い順に複数提示する場合等）には、ユーザーに対して虚偽のことを告げてしまう結果となったり（誤った内容や古い時点での情報を表示する等）、不確実である事項について確実と誤解させるおそれのある結果を提供してしまう（将来の利回りについて、具体的な数値を表示する等）ことで、上記のような禁止行為違反をしてしまうリスクがあります。

したがって、こうした事象を事前かつ網羅的に回避する方策が見当たらない現時点においては、生成AIを利用して金融商品の具体的な商品内容について説明等を行おうとする場合には、回答される内容について上記規制に違反した内容となっていないかをコンプライアンス担当者の目で確認する等のプロセスを踏むといった措置を講じておくことが必要と思われます。

なお、生成AIを自社サービスに組み込んで提供するにあたっては、生成AIサービス提供事業者の利用規約を遵守する必要がありますが、利用規約の中には、金融規制法を意識してユーザーに一定の義務付けをしている例があります。例えば、有資格者によるレビューを経ることなく個別の金融アドバイスとして出力結果を提供することを禁止する規定や、金融に関する消費

者向けの情報提供、ニュース生成・要約を提供する場合には、出力にAIが使用されていることや潜在的な制限を知らせる免責事項をユーザーに示すことを義務付けている規定があり、注意が必要です。

弁護士法

生成AIは、法律相談や契約書レビュー等のサービスに活用することも考えられます。最近では、対話型AIが日本や米国の司法試験の一部科目で合格水準の正答率を達成したといったニュースもありますし、契約書レビューに生成AIを利用したサービスもいくつか提供されています。このような法律や法律上の権利義務に関連するサービスを提供しようとする場合には、弁護士法に違反しないよう注意が必要となります。

▶ 弁護士法72条

弁護士法72条は、弁護士以外の者が、有償で「訴訟事件その他一般の法律事件に関して、鑑定…その他の法律事務」を取り扱うことを業とすることを禁止しています。

例えば、法律相談に関しては、対話型AIを利用したチャットボット等で法律上のトラブルに関する相談対応サービスを提供する場合、「法律事務」に当たると考えられます。また、契約書レビューに関しては、法律上の権利義務に争いがある事項を背景として締結する契約書を対象とし、法的観点からの有利・不利、法的リスクの有無やその程度、法的観点から修正を検討すべき箇所と修正文案等をユーザーの立場に立って表示するようなアプリを提供する場合、「法律事件」に関する「鑑定」に当たる可能性があります。

したがって、このような法律や法律上の権利義務に関連するサービスを、生成AIを利用して有償で提供する場合には、弁護士法72条に違反しないかに注意して検討することが必要になります。

▶ 法務省ガイドライン

特に、AIによる契約書審査サービスについては、法務省が、2023年8月に弁護士法72条との関係に関するガイドライン「AI等を用いた契約書等関連業務支援サービスの提供と弁護士法第72条との関係について」を公表しました。このガイドラインでは、「報酬を得る目的」、「訴訟事件…その他一般の法律事件」または「鑑定…その他の法律事務」の要件のいずれかを満たさなければ、弁護士法72条に違反しないことが示されています。

「報酬を得る目的」については、無償のサービスであるような外観を有する場合であっても、例えば、当該事業者が提供する他の有償サービスを契約するよう誘導する場合や、サブスクリプション利用料等を支払う者のみに利用資格を与える場合などで、サービスの運営形態、支払われる金銭の性質や支払い目的等を考慮して、利益とサービス提供との間に実質的に対価関係が認められるときは、この目的が肯定されるとしています。

また、「その他一般の法律事件」については、個別の事案ごとに、契約の目的、当事者の関係、契約に至る経緯やその背景等諸般の事情を考慮し、法律上の権利義務に関し争いや疑義（これを「事件性」といいます）があるか否かを判断することが明記されており、例えば、基本契約に基づき特段の紛争なく従前と同様の物品を調達する契約を締結する場合には、通常、この要件を満たさないとしています。なお、いわゆる企業法務において取り扱われる契約関係事務のうち、通常の業務に伴う契約の締結に向けての通常の話し合いや法的問題点の検討については、多くの場合「事件性」がないとされています。

さらに、「鑑定…その他の法律事務」については、各サービスの具体的な機能や利用者に対する表示内容から判断することが示されています。例えば、審査対象となる契約書の記載内容について個別の事案に応じた法的リスクの有無やその程度が表示される場合や、個別の事案における契約に至る経緯やその背景事情、契約しようとする内容等を法的に処理して、当該処理に応じた具体的な修正案が表示される場合は、「鑑定…その他の法律事務」に該当し得るとされています。他方で、審査対象となる契約書の記載内容と、サービス提供者または利用者があらかじめ登録した契約書のひな形の記載内容との相違部分を、その字句の意味内容と無関係に表示するのみの場合は該当しないとされています。

生成AIを利用した契約書関連サービスを検討する場合には、今後、このガイドラインその他の当局見解を確認する必要性があります。

なお、一般的な用途に開発された対話型AIにおいて、法律上のトラブル事案に関するプロンプト入力に対して具体的な助言を内容とするアウトプットが出力される場合等の弁護士法72条への対応については、金融規制法のところでも述べたように、法律の助言がアウトプットされることがないようにフィルタリングをかける等をしておくことが望ましいと思われます。また、生成AIサービス提供事業者の利用規約には、有資格者によるレビューを経ることなく、法的アドバイスとして出力結果を提供することを禁止する規定を定めている例があり、これらの利用規約を遵守することが必要となります。

他の業法

上記以外にも、例えば、生成AIを組み込んだサービスを下記の各事業に利用しようとする場合には、各業態に応じた業法による規制を受ける可能性があるため、注意が必要となります。

業法の規制が問題となり得る事業の例

事業の種類	概要	業法
職業紹介	求人および求職の申し込みを受けて行う求人者と求職者のマッチング	職業安定法
宅地建物取引業	宅地・建物の売買やその媒介、宅地・建物の貸借の媒介	宅地建物取引業法
旅行業・旅行業者代理業	旅行計画の作成・予約・手配	旅行業法
医薬品・医療機器の販売業	医薬品・医療機器の販売	薬機法
税理士業務	税務書類の作成等	税理士法
司法書士の独占業務	法務局または地方法務局に提供する書類の作成等	司法書士法
行政書士の独占業務	官公署に提出する書類その他権利義務または事実証明に関する書類の作成	行政書士法
医業	医学的助言を伴う医療相談等	医師法

利用規約・AI倫理との関係

生成AIの利用については、上記で述べた業法との関係について注意が必要であるほか、生成AIの利用規約が定める制限や、AI倫理に関する問題も考慮する必要があります。利用規約との関係は、上記でも若干触れていますが、Lesson 15およびLesson 21も参照してください。

15 倫理と生成AI

日常生活になくてはならないものとなったAIの開発や利用には、社会的な秩序を維持するため、法律上の制約のみならず、倫理的な制約も必要となる

日本を含む世界各国で、AIに関する倫理的なルールやガイドラインが作られ、公表されている

AIと倫理を考える意義

「倫理」とは、様々な意味を持つ言葉ですが、『岩波国語辞典 第8版』では「人間生活の秩序」と説明されています。本書は、新しい技術である生成AIと法律との関係を概観することに主眼を置いていますが、我々の社会の秩序は、法律のみならず、社会に存在する様々な明示・黙示のルールや規範によって維持されています。AIと倫理について考える意義は、まさに、生成AIのような新しい技術が人間社会の秩序にどのような影響を与えるのか、そしてその影響を社会はどのように受け止め、秩序を維持していくべきなのかを考えるところにあります。以下では、AIと倫理が実際に問題となった近年の事例から、この議論の整理を試みます。

▶ AIの開発の一時停止を求める動き

2023年3月、イーロン・マスク（SpaceX CEO、テスラCEO等）やスティーヴ・ウォズニアック（Apple共同創業者）等、IT分野で著名な経営者、AIの研究者を含む1000人以上の署名と共に、当時のChatGPTの最新版を

上回るAIシステムの開発を一時的に停止するように求める声明が公表されたことがニュースとなりました(この声明は「Pause Giant AI Experiments」で検索すると見つけられるはずです)。この声明は、対話型AIが真実と異なる情報の拡散やプロパガンダに利用される可能性や、人類が文明の主体たる地位を失う可能性にまで言及して、十分な外部からの管理なくAIの開発が急速に進められている現状に対して、強い懸念を示したものです。

この声明には、ビジネスや政治上の思惑も複雑に絡み合っているものと考えられ、その内容をそのまま鵜呑み(うの)みにすべきかについては議論があり得ますが、本書執筆時点において、当該声明を公表しているウェブサイトでは、声明に賛同する3万人の署名が集められており、世界中の少なくない人々が、彼らと同じ懸念を持っていることがわかります。

▶ 対話型AIの「暴走」

2016年、Microsoftが公開した対話型AI「Tay」が、ユーザーからの質問に対し、性差別的な回答や、人種差別的な回答を行うようになったとして、サービス提供開始後24時間を待たずしてサービスの提供を停止するという「事件」がありました。その後も、対話型AIが差別的または攻撃的な回答を行うようになった事例は多く報告されています。

また、2023年には、ベルギーで男性が対話型AIとのやり取りの中で自殺を勧めるような回答をされ、その後自殺をしたとの事件が報道されました。

このように、対話型AIの「暴走」ともとれる事例を念頭に、AIが差別を助長する可能性や、利用者に「危害」を加える可能性があると主張して、AIの発展に消極的な意見を述べる人々もいます。

▶ AIの利用における倫理

以上のような近時の事例から、AIと倫理が語られる局面は、大きく分けて2つに整理することができるように思われます。

一つは、AIの利用によって現在の社会に負の影響が生じることへの懸念です(便宜上「AIの利用における倫理」といいます)。我々人間にとって非常に便利な存在となったAIは、その利便性がゆえに、悪用されれば、多くの人々に重大な悪影響を与えかねません。例えば、対話型AIのサービス提供事業者は、利用者からの質問に対して真実と異なる情報や偏った意見を回答するようにAIを作成・調整することで、フェイクニュースや、特定の国や集団を攻撃するような思想・言動を世に拡散することが可能になります。逆に、特定の主義や思想に反する情報を出力させないよう調整することも可能でしょう。このように、生成AIサービス提供事業者は、国民の投票行動等の民主主義的過程に恣意的な影響を与えることや、特定の思想を潜在的に助長・促進すること等ができる立場にあるといえます。

また、生成AIサービスを利用するユーザーの側にも、倫理が求められています。例として、教育機関における生成AIの利用が挙げられます。現在、教育機関において学生に対して課されている課題は、当然ながら学生自身が取り組むことが想定されているところ、特に文章作成にかかわる課題を確認する教師において、学生の回答が、生成AIを用いて作られたものか、学生が自ら作成したものか判別がつかないという点が問題となっています。このような問題に対して、文部科学省は、2023年7月、「初等中等教育段階における生成AIの利用に関する暫定的なガイドライン」を公表しました。このガイドラインでは、初等中等教育における生成AIの活用について、「現時点では活用が有効な場面を検証しつつ、限定的な利用から始めることが適切である」との慎重な見解が示されています。AIを教育の現場に取り入れることの是非については、様々な意見があるところですが、少なくとも、生成AIの利用を想定していない現在の教育システムにおいて、生成AIの利用を許すことは、適正な評価や想定された教育効果を阻害するという点で、教育現場に負の影響を与えることになります。

上記した対話型AI「Tay」の「暴走」も、ユーザーに倫理が求められる事例です。この「暴走」が起こった経緯は、Tayのサービス提供が開始した直後から、多くのユーザーがTayに対して差別的なインプットを行ったため、そのようなインプットを学習したTayが、ユーザーからの質問に対して類似の回答を行うようになったというものでした。しかし、個々のユーザーに倫理観を伴った行動を求めることには、どうしても限界があります。結局は、そもそもこうしたアウトプットをさせないようAIを開発・調整すべきである、という開発者側の倫理の問題だと考えることもできるでしょう。

このように、AIの利用における倫理とは、社会への悪影響をもたらすようなAIの悪用や想定外の利用を抑止することによって、社会の秩序を維持しようとすることと表現することができます。これを実現するにあたっては、利用者側がモラルをもってAIを利用することも重要ですが、実効性を高める観点からは、AIの開発者やサービス提供事業者において、開発過程や動作の透明性向上、中立な第三者による監視の受け入れ、自発的または外部からの指摘を踏まえた継続的な改善、といったサイクルを構築することが求められるといえるでしょう。

▶ AIの進化における倫理

AIと倫理が議論されるもう一つの局面は、AI技術の発展や、人間との対立に関する懸念です（以下「AIの進化における倫理」といいます）。これは、言い換えれば「人類」と「AI」の対立構造であり、古くから様々なSF作品で繰り返し描かれてきたテーマですが、現代においても、AIが人類を凌駕（りょうが）し、最終的に人類を駆逐するのではないかという発想には根強いものがあります。2010年代に入って、ディープラーニング技術が一般的になった頃から世間に浸透をしてきた言葉として、「シンギュラリティ」があります。この言葉、正確には「テクノロジカルシンギュラリティ」（技術的特異点）も、文脈によって多義的な部分はありますが、一般には、技術の急速な進化によって、人工知能が人間の知能を大幅に凌駕し、自律的に作動するAIによってAIが自己改良を繰り返す結果、人類の理解が及ばないAIが誕生し、以後人類が永遠に追いつけない状況が出現するという発想を意味しています。論者によっては、その先にAIが人類を駆逐してしまう未来を描く者もいます。多くの功績を残した物理学者であるスティーヴン・ホーキングは、晩年、完全なAIの開発によって、人類が終焉を迎えることになると唱えたことでも知られています。

ディープラーニング技術が最初に脚光を浴びた2010年代中頃においても、このような発想は、社会全体の認知としてみれば、いまだおとぎ話の範疇（はんちゅう）を出ないものであったと思われます。しかし、昨今の生成AIの急速な進化の実態からは、AIが人間を凌駕し、人類と対立する未来が、今まで以上に「現実味のある未来」として、社会的にも認知されはじめているでしょう。

このようなAIの進化における倫理として求められるのは、人類が社会の中心であり、AIが人類の敵とならない存在であり続けることを保証することのできる、AI開発体制の構築です。このような考え方は、古くはSF作家アイザック・アシモフが古典的SF小説「I,Robot」(邦訳題名:『われはロボット』)の中で唱えた「ロボット工学三原則」(❶ロボットは人間に危害を加えてはならない。❷ロボットは❶に反しない限り人間の命令に背いてはならない。❸ロボットは❶❷に反しない限り自己を守らなければならない)にも発見することができます。イーロン・マスクらによる上記の声明は、その現代版ともいえるものであり、AIの開発を外部から監視し、AI技術の進歩を制御し得る体制の確保を求めたものでした。人類とAIの共存、そしてAIに対する人類の優位こそが、AIの進化における倫理なのです。

AIに関する倫理的なルール・ガイドライン

上記のように、近時、AIと倫理が問題となる事例がいくつも生じ、ニュースとなっています。このような状況で、日本をはじめとする各国では、AIに関する倫理的なルール・ガイドラインが多数策定、公表されています。以下では、その中でも代表的なものをピックアップして、AIと倫理に対して社会がどのような考えを持っているのかを概観します。

▶ 人工知能学会　倫理指針(日本)

日本におけるAIの倫理的なルール・ガイドラインの先駆けとなったのが、人工知能学会倫理委員会が2017年2月に公表した「倫理指針」です。これは、人工知能学会が、「自らの社会における責任を自覚し、社会と対話するために、人工知能学会会員の倫理的な価値判断の基礎となる」指針として、会員向けに策定したものです。

「倫理指針」は序文と9カ条からなりますが、特徴的なものは第9条「人工知能への倫理遵守の要請」です。あくまで会員向けの指針である「倫理指針」の第1条から第8条までは、当然のように「人工知能学会会員は」という書き出しからはじまります。しかし、この第9条だけは「人工知能が」という書き出しになっており、AIが「社会の構成員またはそれに準じるもの」となるためには、人工知能学会員と同等に「倫理指針」を遵守できなければならないことを定めています。AI自身を義務の主体として記述したこの第9条は、人類とAIの共存のビジョンを明確に打ち出すものであり、AIの進化における倫理の側面の明文化を目指したものであると評価することができます。

▶ 人間中心のAI社会原則（日本）

「人間中心のAI社会原則」は、AIの中長期的な研究開発および利活用等にあたって考慮すべき倫理等に関する基本原則について、国際的な議論に供するために内閣府が設置した「人間中心のAI社会原則検討会議」において2019年3月に策定されました。この原則では、AI社会原則として、以下の7つの原則を掲げます。

❶人間中心の原則
❷教育・リテラシーの原則
❸プライバシー確保の原則
❹セキュリティ確保の原則
❺公正競争確保の原則
❻公平性、説明責任及び透明性の原則
❼イノベーションの原則

これらの諸原則は、いずれもAIを有効かつ安全に利用できる社会を構築することを目的に定められたものであり、もっぱらAIの利用における倫理を明文化したものであると評価することができます。しかし、「人間中心の原則」という標語それ自体からは、AIの進化における倫理の発想を同時に強く意識したものであることが読み取れます。

▶ 信頼できるAIのための倫理ガイドライン（EU）

欧州委員会は、2019年4月に「信頼できるAIのための倫理ガイドライン

(Ethics Guidelines for Trustworthy AI)」を公表しました。同ガイドラインでは、信頼できるAI（あるいは、Trustworthyという語のニュアンスとしては「信頼に足るAI」というべきでしょうか）とは、合法的（lawful)、倫理的（ethical)、および、頑健（robust）であるべきとし、基本的人権に根ざした4つの倫理原則として、人間の自律性の尊重（Respect for human autonomy)、危害の防止（Prevention of harm)、公平性（Fairness)、説明可能性（Explicability）を掲げました。そして、以下の7点を具体的な要求条件として挙げています。

❶人間の営みと監視（Human agency and oversight)
❷技術的な頑健性と安全性（Technical robustness and safety)
❸プライバシーとデータガバナンス（Privacy and data governance)
❹透明性（Transparency)
❺多様性・無差別・公平性（Diversity, non-discrimination and fairness)
❻環境および社会の幸福（Societal and environmental wellbeing)
❼アカウンタビリティ（Accountability)

上記の要求条件は、先ほど述べた内閣府「人間中心のAI社会原則」が掲げる7つの原則とも類似する点が多く、AIの利用における倫理が、世界的にも一定の共通認識を持った考え方として定着し始めようとしている流れを感じとることができます。

一方で、日本における上記2つのルール・ガイドラインと異なる特徴的な点は、AIの社会に対する便益に加え、AIがもたらす深刻な懸念（Critical Concerns）として、下記の4つが具体的に明示されていることです。

- AIによる個人の特定と追跡（Identifying and tracking individuals with AI)
- AIの利用を秘することによる人間とAIの混同（Covert AI systems)
- 基本的人権を侵害する形でのAIによる人々の採点（AI enabled

citizen scoring in violation of fundamental rights)
- 自律型致死兵器システム（Lethal auto nomous weapon systems (LAWS)）

▶ 倫理とAIに関する議論の現状

以上に例示されるように、AIと倫理に関する問題は、国や地域を問わず幅広く議論されています。そして、内閣府「人間中心のAI社会原則」と、欧州委員会「信頼できるAIのための倫理ガイドライン」の類似性からも、AIの利用における倫理については、世界的にも一定の共通認識が形成され始めている段階にあると評価することができるでしょう。

これに対して、AIの進化における倫理の側面では、日本とEUで若干異なる考え方を有しているように思われます。すなわち、人工知能学会「倫理指針」第9条は、AIが人間社会に構成員として参加するという比較的ポジティブな視点から、その条件として、「倫理指針」の遵守を掲げるものです。これに対して、欧州委員会「信頼できるAIのための倫理ガイドライン」では、AIの社会に対する便益についても触れてはいるものの、むしろ深刻な懸念点を強調し、AIが人間社会に構成員として参加するというビジョンを打ち出すには至っていません。もちろん、このような差は、作成主体の立場の違いから生じたものであると考えることも可能ですが（「倫理指針」はAI研究者を中心に作成された一方、「信頼できるAIのための倫理ガイドライン」は欧州委員会が集めた多種多様な専門家集団によって作成されています）、国民性や文化的背景が、こうしたスタンスの差を生んでいると考えることもできるかもしれません。これは人工知能学会倫理委員会が公表している「『人工知能学会　倫理指針』について」という文書で指摘されている点ですが、日本においては、『鉄腕アトム』や『ドラえもん』等の自律的な人工知能を備えたロボットが活躍する漫画やアニメが国民的に浸透しており、社会のなかで「構成員」として認められる人工知能のビジョンを理解しやすい土壌がすでに醸成されているという意見があります。そうだとすれば、いまだコンセンサスが形成されていないAIの進化における倫理の議論を、日本が主導し、人類とAIが調和する未来を描けるかもしれません。

16 EU・USでの規制の動き

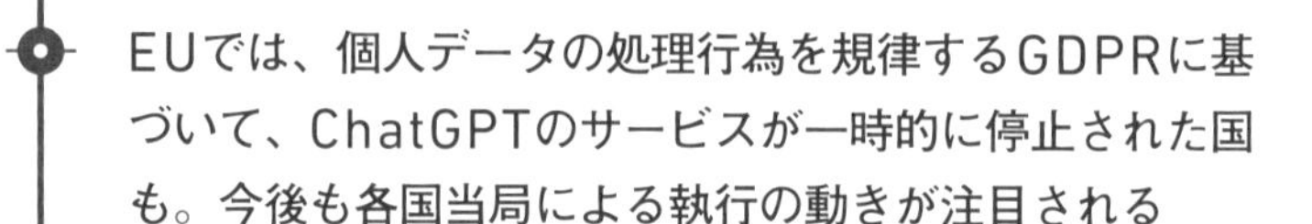

EUでは、個人データの処理行為を規律するGDPRに基づいて、ChatGPTのサービスが一時的に停止された国も。今後も各国当局による執行の動きが注目される

EUではさらに、AIに対する包括的な規制案であるAI規則案「AI Act」が今後成立する見込みであり、日本企業も適用を受ける可能性がある

米国では、AIに対する直接的な規制法はないが、AI分野における米国のリーダーシップを推進する国家戦略「米国AIイニシアティブ」などが定められており、近時、AIをめぐる規制の在り方について議論が進んでいる

EUでの規制の動き

▶ GDPRとその執行例（イタリア当局 vs ChatGPT）

EUには、事業者による個人データの処理行為を規律する一般データ保護規則（GDPR）という法規制が存在します。GDPRは個人データを取り扱う組織に対して、個人データの処理に関して厳格なルールを定めています。例えば、本人に対する透明性の観点からの情報提供義務などが定められています。また、すべての個人データの処理について、条文で列挙された適法化根拠（同意、契約の履行、法的義務、重要な利益、公共の利益、正当な利益）

のいずれかが必要であるとされています。さらに、GDPRが適用される組織は、情報セキュリティを確保するための技術上および組織上の措置を実装する必要があります。GDPRの違反には非常に高額な制裁金が定められていることも特徴の一つで、日本企業にも適用される場合があります。生成AIを開発・利用するにあたっても、個人データの処理が関係する場合があるため、GDPRが適用される場合には、GDPR上の様々な義務との抵触が問題となります。

EUにおいては、実際にGDPRに基づく生成AIサービスに対する執行の動きが見られています。2023年3月に、イタリアのデータ保護監督機関(Garante)がOpenAI社に対し、ChatGPTがGDPRに違反するとして、イタリアに所在する利用者の個人データの処理を一時停止することを命じました。その後、同社は対応策を講じた結果、同年4月にイタリアでのサービス再開を認められました。Garanteにより指摘された内容とOpenAIによる対応策の概要は以下のとおりです。

ChatGPTに対する指摘事項と対応策

指摘事項	具体的な指摘内容	対応策
透明性の観点からの情報提供義務	ChatGPTを通じた個人データの処理について、データ主体に対する適切な情報提供がされていない	ウェブサイト上でプライバシーポリシーを公開し、イタリアでの使用が再開されたときにプライバシーポリシーへのリンクをウェルカムページで通知
大量の個人データを学習するときの適法化根拠	GDPRは個人データの処理全般に適法化根拠を要求しているにもかかわらず、ChatGPTの運用の基礎となるアルゴリズムのトレーニングを目的とした大量の個人データの収集・処理を正当化するための適切な法的根拠がない	オプトアウトができるという仕組みを導入したうえで、オプトアウトされない場合は「正当な利益」を法的根拠として学習に利用するという点をポリシーの中で明記
不正確なデータが出力されるという問題	ChatGPTが提供する情報は、実際のデータと必ずしも一致しないため、個人データの処理が不正確である	確率論に基づいて次に来る確率が高い単語を出すという仕組み上、完全な正確性は担保できないが、不正確なデータが出力されたら削除請求ができるフォームを設置
子どものデータ処理	ChatGPTは利用規約により13歳以上のユーザーを対象としているが、適切な年齢確認の仕組みを実装していないため、未成年者が年齢に照らし不適切な回答を提供されるおそれがある	年齢を確認するために、ユーザーに生年月日を入力させ、13歳未満は使用できず、13歳から18歳の間の場合には親の同意を得ていることを確認する仕組みを導入

このように、OpenAI社はイタリアでのChatGPTの提供再開を認められたものの、イタリアを含む欧州各国での調査は依然として継続しています。欧州データ保護会議（EDPB）もChatGPTにフォーカスしたタスクフォースを立ち上げており、今後の議論の動向を引き続き注視する必要があります。

なお、英国のデータ保護監督機関であるICOも、「Generative AI: eight questions that developers and users need to ask」というブログを公表し、生成AIを開発・利用する際の8つのポイントをまとめています。具体的には、❶個人データの処理の適法化根拠、❷自らの立場（管理者・共同管理者・処理者）の整理、❸DPIA（データ保護影響評価）の実施、❹透明性の確保、❺セキュリティ（漏洩のみならず、出力されるデータの内容に影響する攻撃等へのセキュリティを含む）、❻目的達成のために不必要なデータ処理の制限、❼一般的な権利行使への対応、❽完全に自動化された意思決定への利用する場合の対応といった点が主な検討ポイントとして示されています。GDPRのコンプライアンスを検討するにあたって、実務上参考になります。

▶ AI規則案

EUでは、AIに対する包括的な規制の議論が先行しています。

欧州委員会は、2021年にAI規則案「AI Act」を発表し、その後の修正を経て、2023年6月には欧州議会が修正法案を可決しました。この修正法案では、AI規則案の当初発表後に注目が高まった生成AIを意識した結果、当初案よりも規制が強化され、具体的には、ディープフェイク（AIを使ってあたかも実在する別の人物等のように見える画像、音声、動画等のフェイクコンテンツを作ること）のコンテンツについてはディープフェイクであることを明示し、AIに学習させるために著作権で保護されたデータを利用した場合は公表が義務付けられるなど、透明性の義務を課すとしています。本書執筆時点では、AI規則案は未成立であり、今後さらに欧州委員会や欧州連合理事会との調整が必要となりますが、仮に2024年に成立するのであれば、大半の条文はその2年後である2026年に適用開始となることが見込まれます。

AI規則案は、AIが人間の経済的・社会的活動に大きな利益をもたらすものの、使い方を誤れば生命・身体の安全や基本的人権に深刻な悪影響をあたえる危険性があるとの認識に立つもので、安全性確保および基本的人権の保障のためのAIガバナンスと効果的な法執行を可能にする、EUにおけるAIに対する包括的・統一的な法的枠組みの構築を意図したものです。このAI規則案は、幅広く域外適用の可能性があります。例えば、日本企業であっても、EU域内でAIシステムを供給している場合や、AIシステムのアウトプットがEU域内で使用される場合などに、AI規則案の適用を受ける可能性があります。また、違反に対する制裁は重く、制裁金の額は最大で4000万ユーロか全世界売り上げの7%のいずれか高い方と定められており、それに加えて、EU市場からの退場も義務付けられる可能性があります。

AI規則案では、AIに存在するリスクを「許容できないリスク」「ハイリスク」「限定リスク」「最小リスク」の4つに分類し、適用する規制内容を変える、いわゆるリスクベースアプローチが採用されています（概要は以下の表のとおり）。

AI規則案におけるリスク分類

リスクの分類	規制の概略
許容できないリスク	禁止
ハイリスク	【要求事項】 ・リスクマネジメントシステムの構築 ・データガバナンス ・技術的内容に関する情報の記述 ・記録保持（トレーサビリティ） ・ユーザーに対する情報提供、透明性の確保 ・人間によるAIの監視 ・AIの正確性、堅牢性、サイバーセキュリティの確保 【プロバイダー等の主な義務】 ・品質管理システムの導入 ・適合性審査の実施 ・自動的に出力されたログの保存 ・要件を充足しない場合の是正措置 ・代理人選任 ・基盤モデル等のプロバイダーの義務 ・EUデータベースへのハイリスクAIの登録　等 ※そのほか、販売業者、輸入業者、ユーザーにも別途義務あり
限定リスク	透明性の義務のみ
最小リスク	規制なし

AI規則案では、大規模なデータで訓練され、出力の汎用性を考慮して設計され、幅広い特徴的なタスクに適応できるAIシステムモデルを「基盤モデル（foundation model）」と定義し、この提供者に対して、以下の義務を課しています。

- 健康、安全、基本的権利、環境、民主主義と法の支配に対する合理的に予見可能なリスクを特定し、低減し、文書化する
- 適切なデータガバナンスの対象となるデータセットのみを処理し、モデルに組み入れる
- そのライフサイクルを通じて、性能、予測可能性、解釈可能性、セキュリティ等を独立した専門家の関与によるモデル評価など、適切な方法によって評価する
- エネルギー使用量、資源使用量および廃棄物を削減し、エネルギー効率を向上させるために、適用される基準を用いて、基礎モデルの設計および開発を行う
- 広範な技術文書および分かりやすい使用説明書を作成する
- これらの義務への準拠を保証し、文書化するための品質管理システムを確立する
- EUのデータベースへ登録する

これに加え、生成AIを使用する基盤モデルの提供者には、以下の義務が課せられます。

- 透明性を確保する
- 表現の自由を含む基本的な権利を損なうことなく、一般に知られている技術的状況に沿って、EU法に違反するコンテンツの生成に対する適切なセーフガードを確保するように、生成基盤モデルをトレーニング・設計・開発する
- 著作権法で保護されている教師データの使用に関する十分に詳細な要約を文書化し、公開する

米国における規制の動向

米国においても、AI規制への関心は急速に高まっており、連邦政府レベルでの議論が続けられています。本書執筆時点においては、プライバシー、セキュリティ等、AIに関係する分野の法律は個別に存在していますが、AI規制に特化した包括的な連邦法は成立していません。

米国における生成AIをめぐる動き

2022年10月	科学技術政策局（OSTP）が、AI開発に当たり考慮すべき原則をまとめた「AI権利章典のための青写真（Blueprint for an AI Bill of Rights）」を発表。この草案では、「安全で効果的なシステム」「アルゴリズムに基づく差別からの保護」「データ・プライバシー」「通知と説明」「人間による代替、考慮、予備的措置」という5つの原則が定められている。
2023年1月	商務省国立標準技術研究所（NIST）が、AI技術のリスク管理のためのガイダンス「人工知能リスク管理フレームワーク」を発表。
2023年4月	商務省国家電気通信情報庁（NTIA）が、AIシステムの監査・評価・認証に関する政策策定に向け、意見募集を開始。
	連邦取引委員会（FTC）、司法省、消費者金融保護局、雇用機会均等委員会が連名で、AIが違法な偏見や差別を生む可能性を指摘する声明を発表。
	連邦議会上院民主党トップのチャック・シューマー氏が、AIの推進と管理に関する包括的な立法提案に向けて動くと発表。
2023年5月	連邦政府の独立機関である全米科学財団（NSF）などが設立する研究機関が、Anthropic、Google、Hugging Face、Microsoft、NVIDIA、OpenAI、Stability AIなどの主要なAI開発者の協力を受けてAIシステムの公開評価を実施する計画を公表。
	科学技術に関する大統領諮問委員会（PCAST）が、生成系AIに関するワーキンググループを発足して、国家のために考慮すべき課題や機会、潜在的な解決策に関する一般向けの意見募集を開始。
	ハリス副大統領が、米国企業4社（Alphabet、Anthropic、Microsoft、OpenAI）のCEOと会談し、AIの安全性を確保する責任は開発する企業にあるとして、AIの潜在的な危険から社会を守るよう要請。
	米国上院司法委員会プライバシー・テクノロジー・法律小委員会が、「AIの監視：AIのルール」と題した公聴会を開催。生成アルゴリズムや大規模言語モデルを含む急速に発展するAI技術に対して、議会が規制すべきか、どの程度まで規制すべきかという検討を目的としたもの。公聴会での主要論点としては（a）AIを規制する連邦機関・委員会の可能性とライセンス制度、（b）AIにより起きた問題の責任・賠償に関する既存の枠組みの適用可能性、（c）AIが引き起こす害悪と権利侵害の疑い、が挙げられる。
2023年6月	前記チャック・シューマー氏が、米国シンクタンクの戦略国際問題研究所（CSIS）で講演し、AIの急速な進歩に連邦議会が対応するための包括的な枠組みを提案。AIに関する法案を用意するための行動枠組みとなる「安全なイノベーション枠組み（SAFE Innovation Framework）」を提唱した。この枠組みで最初に取り組まなければならない課題は、イノベーションの抑制ではなく奨励であるとしつつ、イノベーションの安全性が確保されなければ、AIの開発を遅らせることになると指摘。そのため、同枠組みでは、セキュリティ、説明責任、米国の民主的基盤の保護、説明可能性の4つを追求すると訴えた。
2023年7月	バイデン大統領が、AIが作った文章や映像について「AI製」であることを明示すること等を盛り込んだ新たなルールの導入について、Google、Open AI、Metaなどの7社と合意したことを発表。

他方、米国政府は、AIに関する政策イニシアティブやガイドラインの発行等に積極的に取り組んでいます。すでに2019年2月11日には、トランプ大統領がAI分野における米国のリーダーシップを推進する国家戦略「米国AIイニシアティブ」を開始し、2021年にはNational AII nitiative Act of 2020が法制化されています。米国AIイニシアティブは、連邦政府のリソースに焦点を当てて、繁栄の促進、国家安全保障の強化、米国民の生活の質の向上に資するAIイノベーションを支援するものです。

近年の米国におけるAIをめぐる主要な動きとしては、前ページの表を参照してください。

国際的なルール構築に向けた展望

EUや米国におけるAIをめぐる規制の動きは一様ではなく、各国で規制手法の相違が生じることは避けられません。しかし、生成AIの利用に国境がないことを考えると、規制の基礎となる基本的な考え方については、できる限り国際的協調を図ることが重要であると思われます。この国際的協調の観点からは、2023年5月に開催されたG7広島サミットにおいて、AIの国際的なルール作りに向けた枠組みである「広島AIプロセス」が合意され、AIの開発や利活用、規制などについて議論し、その結果を年内に報告することとされていることが注目されます。また、経済協力開発機構（OECD）においても、生成AIに関する新たな指針を策定することが発表されており、加盟国におけるルール整備において重視すべき原則が示される予定です。

なお、2023年6月20日および21日には、G7の個人情報保護を担当する当局者が、第3回G７データ保護・プライバシー機関ラウンドテーブル会合において「生成AIに関する声明」を採択し、生成AIの開発者や提供者に対し、プライバシー問題への配慮を明文化することを求める声明を発表している点も注目されます。

Introduction
to Generative
AI Law

LESSON 17 18 19 20 21

CHAPTER 3

種類別・場面別の検討ポイント

生成AIのサービスはますます多様化しており、対話型AIや画像生成AIのほか、音声生成AI、映像生成AIや事務作業支援系AIなどが続々と登場しています。それぞれのシーンで留意点が異なるため、生成AIサービスを導入する際のポイントについて、広く解説していきます。特にプロンプト入力場面、生成・利用場面、処理学習場面という3つの場面において、詳しく説明していきます。

17 生成AIの種類別留意点

対話型AIについては、プロンプトに入力した文章や生成AIから出力された文章に関して、著作権法、個人情報保護法の観点などからの検討が必要となる

画像生成AIを利用する場合も、対話型AIの留意点がおおむね当てはまるが、特に画像生成AIについては、画像についての著作権侵害の判断や、顔画像等を利用した場合の肖像・パブリシティ権の侵害など、画像という特性に伴う別途の検討事項が生じ得る

対話型AIを利用する場合の留意点

▶ 対話型AIとは

本書において、対話型AIとは、チャット形式によるテキストや文章の生成に特化した生成AIを指します。例えば、ChatGPTのように、チャットボックスにおいて会話や質問をすることによって、質問に対して回答を得られるほか、その応用として、様々な指示をすることにより、文章のドラフト、要約、外国語への翻訳など非常に幅広い用途に用いることができます。

対話型AIにおいて、学習、入力、あるいは出力されたテキストデータについて、著作物に該当する文章が含まれている場合には、著作権との関係が問題となります。また、テキストデータに個人の氏名などの個人情報が含まれている場合などには、個人情報保護法との整理についても検討する必要があります。以下では、対話型AIにおいて、主に問題となりやすい点にポイ

ントを絞って説明をしています。学習、プロンプト入力、出力・利用の各場面における留意点の詳細については、Chapter 3の各Lessonを参照してください。

▶ 対話型AIと著作権

対話型AIの学習についての著作権法上の整理

Lesson 7で解説したとおり、著作権法において保護される著作物とは、「思想又は感情を創作的に表現したものであって、文芸、学術、美術又は音楽の範囲に属するもの」をいいます。したがって、単なる事実やデータは、そもそも表現上の創作性がなく、著作物となりません。そして、著作物として認められる文章であっても、著作権法の下では、著作権者の利益を不当に害することとなる場合を除いては、AI開発のための情報解析のために用いられることが一定の範囲で認められています。したがって、例えばウェブサイト上で公開されている文章データが、生成AIの学習に用いられた場合であっても、そのこと自体は著作権侵害に該当しないとされる場合があります。

対話型AIによって出力されたコンテンツが他人の著作権を侵害する場合

対話型AIによって生成されたコンテンツの著作権侵害については、内閣府に置かれた「AI戦略チーム」の第3回会合（2023年5月15日開催）における文化庁提出資料「AIと著作権の関係等について」によれば、基本的に通常の著作権侵害と同様に判断されます。すなわち、AI生成物に、既存の著作物との類似性や同著作物への依拠性が認められれば、その生成物の利用は、原則として著作権侵害となります。私的使用目的の範囲内での複製については、著作権者の許諾を必要としないなど、いくつかの例外もありますが、AI生成物の利用に特化した例外規定はありません。

したがって、例えば、対話型AIを使用して作成した文章をオンライン上で公開した場合に、当該文章が既存の論文や記事などに類似しているような場合には、著作権侵害リスクが生じます。実際には上記の依拠性要件も満たす必要がありますが、どのような場合に依拠性があるといえるかは、現在様々な立場から議論されています。保守的に考えれば、生成AIが出力した文章が何かに似ている可能性がある場合、そのまま使用することは避け、大幅に手を加えたりして、そもそも著作権侵害だと主張されるリスク自体を回避することが好ましいでしょう。

対話型AIから出力された文章が著作物として保護されるか？

対話型AIによって生成された文章が著作物として保護されるかについては、知的財産戦略本部が2023年6月9日に公表した「知的財産推進計画2023年」において基本的な考え方が示されています。すなわち、AI生成物を生み出す過程において、利用者に創作意図があり、同時に、具体的な出力であるAI生成物を得るための創作的寄与があれば、利用者が思想または感情を創作的に表現するための「道具」としてAIを使用して当該AI生成物を生み出したものと考えられることから、当該AI生成物には著作物性が認められるとされています。

文章生成の場合は、プロンプトは単なるアイデアにとどまる場合が多く、出力された生成物についての創作的寄与が認められにくい傾向にあると思われます。したがって、例えば、対話型AIに対してシンプルな質問を入力して、質問に対して何らかの回答を得た場合、出力された回答結果については、利用者に創作意図がなく、創作的寄与は認められない場合が多いと考えられます。その場合、出力されたテキストそのものは著作物として保護されないことになります（もちろん、そこに人力で手を加えていけば、話は別です）。

▶ 対話型AIと個人情報

対話型AIの学習用データやプロンプトの中に個人情報が含まれている場合などにおいては、個人情報保護法との関係が問題となります。画像生成AIについても、個人に関する情報が含まれた場合には、個人情報保護法上の問題が生じる可能性もありますが、主には対話型AIにおいて特に問題になるという点といえます。

主な論点は、❶個人情報の利用目的の特定／通知・公表などの目的規制、❷個人情報の適正な収集、❸要配慮個人情報の取得、❹第三者提供規制、❺越境移転規制などです。例えば、大量の学習データをスクレイピングによって取得する場合に、その対象に要配慮個人情報が含まれている場合には、例外規定に該当しない限り、本人の同意を事前に得ることが必要となります。Lesson 8で解説したとおり、2023年6月に個人情報保護委員会が公表したOpenAIに対する注意喚起によれば、同委員会は同社に対し、機械学習のための情報を収集する際、あらかじめ本人の同意を得ずに要配慮個人情報を取得しないことなどの一定の対策を行うよう求めています。

▶ 対話型AIのその他の留意点

対話型AIの利用にあたっては、秘密情報の取り扱いに関する問題もあります。対話型AIに学習させる場面、プロンプトを入力する場面、あるいは、出力されたテキストを利用する場面のそれぞれにおいて、秘密保持義務を負っている対象のテキストが含まれている場合に、他社との契約内容に違反しないかを検討する必要があります。

また、自社の営業秘密、特許出願前の発明などのデータがプロンプトとして入力された場合、その情報が法的に保護を受けられなくなったり、セキュリティ上のリスクにさらされる可能性もある点にも留意する必要があります。

その他、個別の論点の詳細については、Chapter 3の各Lessonを参照してください。

画像生成AIを利用する場合の留意点

▶ 画像生成AIとは

本書において、画像生成AIとは、画像の生成に特化した生成AIを指します。典型的な画像生成AIの利用方法は、プロンプトとしてテキストを入力して結果を出力させますが、画像を直接入力して生成結果に反映させることが可能なサービスもあります。代表的なサービスとしては、Stability AIのStable Diffusionなどがあります。

画像生成AIに関連する問題は、基本的には対話型AIに関する議論と同様です。もっとも、画像というデータの特性上、対話型AIとは異なる観点からの検討が必要となる場合もあります。

▶ 画像生成AIと著作権

画像生成 AI によって出力されたコンテンツの著作権侵害

対話型AIについて述べたのと同様、画像生成AIの生成物についても、既存の著作物との類似性や既存の著作物への依拠性が認められれば、原則として著作権侵害となります。

ただ、画像生成AIによって出力された画像について、どのような場合に別の著作物への依拠性が認められるかは、対話型AIに比べて、さらに明確な線引きが難しいことがあります。文化庁が2023年6月に実施したセミナー「AIと著作権」では、画像生成AIの依拠性判断について、「AI利用者が既存の著作物を認識しており、AIを利用してこれに類似したものを生成させた場合は、依拠性が認められると考えてよいのではないか」「AI利用者が、Image to Image（i2i）で既存著作物を入力した場合は、依拠性が認められると考えてよいのではないか」といった点が、文化庁の確たる意見としてではなく、今後検討すべき事項として述べられています。i2iで画像生成AIを利用した場合など、画像生成AIを利用した場合の著作権侵害については、対話型AIとは異なる議論が今後なされる余地があります。

ところで、表現それ自体とは異なり、単なる画風・作風は一般的には表現上のアイデアであって表現自体ではなく、よって、画風・作風が類似しているとしても表現としての類似性がただちに認められるわけではありません。もっとも、画風や作風を再現することを目的として実在の作者の名前をプロンプトに入力した場合、学習用データの範囲次第では、実在する既存の作品に近い表現物が出力されやすく、結果として著作権侵害と評価されるか、少なくともそのような主張を受けるリスクが高まるため、基本的には避けるべきでしょう。既存の著作物をプロンプトに入力して、i2iで作成するものについては、より一層リスクが高まるといえます。

画像生成 AI によって生成された画像の著作物性

上述のとおり、AI生成物を生み出す過程において、学習済みモデルの利用者に創作意図があり、同時に、具体的な出力であるAI生成物を得るための創作的寄与があれば、当該AI生成物には著作物性が認められると考えられます。

画像生成AIの場合も、単純なプロンプトを入力するだけであれば、生成物に対する創作的寄与は通常認められないと考えられるものの、様々なプロンプトの入力を繰り返して生成内容の調整を図るなど、様々な試行錯誤をして生成物を完成させた場合には、創作的寄与が認められ、著作物性が認められる余地が生じてきます。

なお、画像生成AIによって作成したコンテンツが著作物として認められた場合でも、生成AIサービスの利用規約によっては、著作権者としての権利行使に何らかの制限がある場合もあるため、こうした利用規約その他の規程類は、利用の開始前に精査したほうが良いといえます。

▶ 画像生成AIと個人情報保護法

個人情報保護法では、氏名や住所などのテキストデータだけではなく、本人を判別できる写真の画像なども個人情報に該当し得ます。また、画像データ自体にも、可読性のある氏名の情報など、個人情報が含まれる可能性があります。その場合には、画像生成AIについても個人情報の観点からの検討が必要となります。基本的には、対話型AIについて述べたのと同じ議論が当てはまります。

▶ 肖像権・パブリシティ権の侵害

画像生成AIならではの論点は、肖像・パブリシティ権に関する問題です。人の顔や容貌は、個人の人格の象徴であることから、誰でもこれをみだりに利用されない権利を有しており、これを肖像権といいます。また、特に著名人などについては、その肖像や名前は、その本人の人格やイメージと結びつき、商業的な価値(いわゆる顧客吸引力)を持つことがあり、その場合、他者が無断でこれらを利用することは、個人のパブリシティ権を侵害する行為となります。

学習用データとして特定の人物の写真を利用する場合や、i2i形式で具体的な写真を入力するような場合には、AI生成物として元の人物の酷似した画像が出力されることとなり、肖像権やパブリシティ権の問題が生じ得ることとなります。

特に問題となりやすいのは、著名人等の顔画像の利用でしょう。2023年5月には、集英社が生成AIを利用して作成したグラビア画像を「写真集」として売り出すことを発表しましたが、その画像中の人物が実在するグラビアアイドルと類似しているのではないかと話題となり、同社は自主的に、その販売を終了することとなりました。この事例は、具体的な法的評価に立ち入ることなく自主的に利用を中止したというものでしたが、「●●に似ている」といった点は議論の対象となりやすく、事業者のレピュテーションリスクが顕在化しやすいといえ、その観点からも参考になる事案といえます。

その他の発展形を利用する場合の留意点

生成AIのサービスは多様化しており、対話型AIや画像生成AIに限定されず、音声生成AI、映像生成AIや事務作業支援系AIなどが続々と登場しています。

基本的には、これらの発展したタイプの生成AIについても、上述した対話型AIや画像生成AIに関連する議論が当てはまり、それらの議論の発展形として論点を整理することができます。対話型AIや画像生成AIとは異なる問題点としては、例えば以下の点を挙げることができます。

▶ 歌や演奏などの実演

音声生成AIを使って楽曲を作成するにあたって、歌や演奏などの実演を学習させることは、著作権法上どのように解釈されるでしょうか。

このような歌や演奏などは、著作権法では「実演」として扱われ、実演家の許諾なく録音、録画等ができません（こうした著作権類似の権利を「著作隣接権」といいます）。しかし、著作権法上は、著作権に対する権利制限規定のうち多くのものが著作隣接権にも準用されており、例えば、実演家の利益を不当に害することとなる場合を除いては、AI開発のための情報解析のために実演を利用することが一定の範囲で認められています。したがって、プロの歌、演奏などのデータを学習データ用として利用することについては、実演家の利益を不当に害さない限り、基本的に実演家の許諾を得る必要がありません。

▶ 声のパブリシティ権

実演ではないただの声そのものは、著作権法上保護されません。それでは、著名人の会話データを学習させ、著名人そっくりの合成音声を利用して、商品の宣伝に使うことには問題がないでしょうか。

この点については、声も人の氏名や顔と同様、その本人の人格やイメージと結びつき、商業的な価値（いわゆる顧客吸引力）を持ち得ることに着目して、パブリシティ権を認めるべきだという見解があります。しかし現在のところ、少なくともわが国では、音声のパブリシティ権を認めた裁判例はありません。

18 プロンプト入力場面の留意点

著作物である文章・画像を入力する場合は、著作権侵害の可能性に留意する必要がある。原則、著作権者の許諾を得る必要があるが、情報解析のみを目的とする場合や私的複製の場合等に例外が認められている

個人情報を入力する場合には、個人情報保護法上の利用目的規制や第三者提供規制、越境移転規制等を考慮する必要がある

その他、プロンプト入力にあたって特に注意が必要な情報としては、秘密情報、顔画像、登録商標、意匠など

Lesson 1で説明したように、生成AIの利用の際には、モデルからの回答を得るためにプロンプトを入力する必要があります。本Lessonでは、生成AIにプロンプトを入力する場面（右ページの図枠部分）の法的留意点について検討していきます。

なお、生成AIによっては、プロンプトとして入力した情報を、回答のために用いるだけでなく、生成AIの追加学習のために用いる場合もあります。このような追加学習も処理学習の一つといえるので、これに関する法的留意点は、Lesson 20を参照してください。

生成AIの処理学習段階／生成・利用段階（一般例）

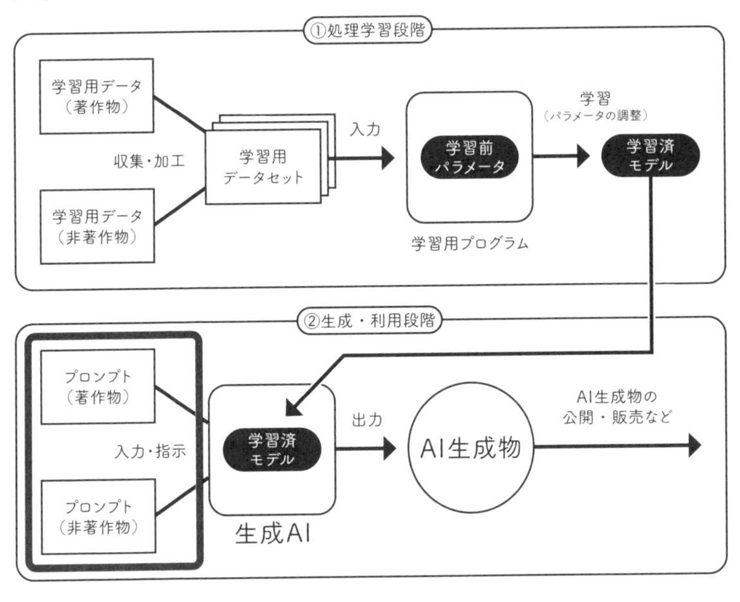

著作物である文章・画像などの入力

ユーザーが生成AIにプロンプトを入力する際に、他人の作成した既存の文書・画像の全部または一部を利用する場合、もしその文章・画像が著作物として保護を受けるものであれば、その入力行為が著作権侵害として、侵害行為の差止請求や損害賠償請求の対象とならないかが問題となります。ここでは、プロンプトとして文章を入力する場面を想定して検討します。

▶ プロンプトとして入力する文章の著作物性

著作権法によって保護の対象となる著作物とは、「思想又は感情を創作的に表現したものであつて、文芸、学術、美術又は音楽の範囲に属するものをいう」とされています。言語の著作物の場合、一般に、ありふれた表現やごく短い文章である場合には、創作性が認められず、著作物性が否定される傾向にありますが、創意工夫を凝らした文章や長い文章には著作物性が認められやすくなります（Lesson 7を参照してください）。

例えば、生成AIが恋愛小説風にカレーの作り方を紹介する様子がテレビ番組で話題となりましたが、「カレーの作り方を恋愛小説風に教えて」といった文章は、その表現自体はありふれたものであり、かつ比較的短いため、創作性がないとして、著作物性は認められないでしょう。プロンプトとして入力する文章は、生成AIへの指示を目的とする文章であるという性質上、基本的には、表現上の創意工夫の余地は大きくなく、著作物と認められる可能性はあまり高くないといえます。

一方で、生成AIサービスのユーザーの間では、回答の精度を上げるために、目的を明確にしたり、具体的な情報（前提条件）を与えたりと、プロンプトの内容を工夫することが行われています（「プロンプト・エンジニアリング」と呼ばれます）。このようにプロンプトとして入力するために創意工夫をして作成された文章は、創作性がある著作物と認められる可能性があります。

また、世の中で流通している著作物をそのまま利用する場合、例えば、生成AIに文章の要約をさせるために、刊行されている書籍の一節をまるごと書き写してプロンプトとして入力するような場合には、プロンプトに著作物性が認められるでしょう。

なお、エンベッディング（テキスト・画像を一定のベクトルに変換する技術）を使う場合には、プロンプトがプログラムの著作物として保護される可能性もあります。

▶ 他人の著作物の利用が認められる場合

著作物として保護される文章を著作権者に無断でプロンプトとして入力する行為は、原則として、その著作物についての著作権（複製権）侵害となり、利用の差止めや損害賠償の対象となり得ます。ただし、以下で述べるように、❶著作権者による許諾がある場合、または❷著作権法上の権利制限規定に該当する場合には、著作権侵害にはなりません。

❶著作権者による許諾がある場合

著作物の著作権者が、著作物をプロンプトとして入力することに同意（許諾）している場合には、著作権侵害にはなりません。著作権者から個別に利用許諾を得た場合はもちろん、例えば著作権者がインターネット上でプロンプトを公開したうえで、かつ、誰でも自由に利用してよいと表明している場合も許諾があることになります。ただし、許諾には条件が付けられている場合があり、例えば、著作物にあたるプロンプトが「商業的利用を除き、自由に利用してOKです」といった条件で公開されている場合には、ビジネスのためにそのプロンプトを入力する行為は著作権侵害になります。

また、利用許諾ができるのは、著作物の著作権者（とその著作権者から許諾権を得た者）のみであることにも注意が必要です。インターネット検索をすると、プロンプトをまとめたウェブページがヒットし、「コピー・アンド・ペーストして自由に使ってください」などと記載されていることもありますが、必ずしもそのウェブページの作成者がそれらのプロンプトについて適法に利用許諾をするための権利を有しているとは限りません。

❷著作権法上の権利制限規定に該当する場合

Lesson 7で解説したとおり、著作権法には、一定の著作物の利用態様について著作権を制限する規定（権利制限規定）が定められており、この規定に当てはまる場合には、著作権侵害とはなりません。

プロンプトの入力段階において適用が考えられる規定として、まず、著作権法30条1項のいわゆる「私的複製」の例外があります。これによれば、「個人的に又は家庭内その他これに準ずる限られた範囲内において使用することを目的とする」場合には、著作権者の許諾を得ないで著作物を利用することができます。しかし、企業による利用については、その利用の目的が「個人的に又は家庭内その他これに準ずる限られた範囲内」であると評価されることは通常なく、この制限規定は適用されません。

次に、著作権法30条の4の情報解析等のための利用の例外があります。著作権法は、情報解析等の他人の知覚による認識を伴わないコンピュータによる情報処理の過程における著作物の利用など、著作物に表現された思想または感情の享受を目的としない著作物の利用であれば、必要と認められる限度で、著作権者の許諾を得ないで著作物を利用することを認めています。ただし、30条の4はその但書において、「当該著作物の種類及び用途並びに当該利用の態様に照らし著作権者の利益を不当に害することとなる場合」は、権利制限の対象とならないと規定しています。詳しい規定内容等については、Lesson 20を参照してください。

プロンプトの入力行為の多くは、「情報解析の用に供する場合」や「著作物の表現について人の知覚による認識を伴うことなく当該著作物を電子計算機による情報処理の過程における利用その他の利用に供する場合」(いわゆる「非享受利用行為」)に該当し、著作権侵害とはならない可能性が高いといえます。もっとも、この点について、本書執筆時点においては定まった見解や裁判例がありません。そして、思想または感情の享受を目的とした利用とされる場合および30条の4但書に該当する場合には30条の4が適用されないことも考慮しますと、現時点では、プロンプト入力行為すべてについて、情報解析等のための利用であり著作権侵害にならないと安易に考えるのは避けるべきでしょう。

▶ AI生成物による著作権侵害とプロンプトの関係

上記では、プロンプトの入力行為それ自体による著作権侵害の成否について検討してきました。しかし、プロンプトを入力した結果として出力されたAI生成物による著作権侵害という問題もあり、その成否には、プロンプトの入力内容が影響を与えます。AI生成物による著作権侵害を生じさせないためには、プロンプトの入力時から注意する必要があるということです。

例えば、「作家○○風の文章を作ってください」、「画家△△の××風の絵を描いてください」というように、特定の作家名や作品名などを含んだプロンプトを入力する場合を考えてみましょう。入力の結果、実際に「作家○○」の文章や「画家△△の××」の絵と同一または類似の生成物が出力された場合、そのようなプロンプトを入力していることにより、著作権侵害の要件の一つである「依拠性」が肯定されやすくなる可能性があります。したがって、著作権侵害のリスクを回避するためには、特定の作風をとったAI生成物を得たい場合であっても、特定の作家や作品名を含んだプロンプトを入力しないほうがよいといえます。AI生成物による著作権侵害については、Lesson

19を参照してください。

個人情報の入力

企業が保有するデータには、第三者の個人情報が含まれている場合がありますので、自社で保有するデータを含むプロンプトを生成AIに入力する場合、そこには個人情報が含まれる可能性があることを意識する必要があります。以下では、個人情報取扱事業者として個人情報保護法上の種々の義務を負う事業者を念頭に、生成AIに入力するプロンプトの中に個人情報が含まれ得る場合の注意点を検討します。なお、個人情報保護法の概要については、Lesson 8を参照してください。

▶ 利用目的に関する規制

個人情報取扱事業者は、個人情報を取り扱うにあたって、❶個人情報の利用目的をできるだけ特定する必要があり、❷本人の同意を得ずに利用目的の達成に必要な範囲を超えて個人情報を取り扱ってはならず、❸個人情報の取得に際し利用目的を本人に通知または公表等する必要があります。

上記❶について、特定すべき利用目的は、個人情報の利用によって最終的に達成しようとする目的を特定すれば足り、それを達成するための手段としての「処理方法」まで特定する必要はありません。この点、生成AIを開発するために個人情報を取得し利用する場合や、企業がユーザーとして生成AIを事業に利用する場合における生成AIの利用は、個人情報の利用の一過程であって、通常はそれ自体が最終的な利用目的ではありません。このような場合は通常、プライバシーポリシー等で公表している個人情報の利用目的に、生成AIを利用して個人情報を取り扱うことを記載する必要はありません。

ただし、近年、いわゆる「プロファイリング」、つまり本人に関する行動・関心等の情報を分析する行為を念頭に利用目的規制が厳格化されており、そのような分析処理を行う場合には、分析結果についての利用目的のみならず、かかる分析処理についての利用目的を特定する必要があります。そのため、企業が生成AIサービスの利用に際して、顧客の個人情報を入力して、その評価を求めたり傾向を推測させたりする場合には、プライバシーポリシー上で特定されている利用目的の範囲が十分なものであるかどうか、慎重に検討する必要があります。

▶ 第三者提供に関する規制

個人情報をデータベース化した場合、そこに含まれる個人情報を「個人データ」といいます。個人情報保護法は、個人情報取扱事業者が個人データを「第三者」に提供する場合、原則として本人の同意を得る必要があるとしています。

個人データをプロンプトに入力することは、生成AIによる回答の前提としてプロンプトに入力したデータを取り込むという流れになっていることを踏まえれば、生成AIサービス提供業者という「第三者」への提供行為が発生しているようにも思われます。しかし、生成AIへ入力された個人データが機械学習に利用されないことが担保されている場合には、第三者への「提供」に該当せず、提供規制の対象とならない余地があります。また、入力情報が学習データとして利用される場合には「提供」に該当することになりますが、その場合であっても、個人データの取り扱いの「委託」に該当する場合には、その個人データの本人による同意が不要と整理する余地があります。詳しくはLesson 8を参照してください。

▶ 越境移転に関する規制

入力情報が学習用データとして利用され、かつ、生成AIサービス提供事業者が外国にある事業者である場合には、越境移転規制の対象となります。個人データの入力をどのように整理するかによって、生成AIサービス提供事業者との間でデータ処理契約を締結したり、本人からの同意を取得したりするなどの対応が必要となります。詳しくは、Lesson 8を参照してください。

秘密情報の入力について

他者に対して秘密保持義務を負う情報や、保有する秘密情報を生成AIサービスに入力すると、秘密保持義務違反になったり、秘密情報についての法的保護を失ったりする可能性がありますので、注意が必要です。

▶ 秘密保持義務違反のリスク

取引先や勤務先などから、秘密保持義務を負いながら秘密情報を取得することがあります。秘密保持義務は、一定の情報を秘密として保持し、第三者に開示・漏洩等しない義務をいい、契約や法令により発生します。例えば、会社に勤めている労働者は、労働契約の期間中は、労働契約の付随的義務として、会社の業務上の秘密を洩らさない義務を負い、多くの会社では就業規則等により、契約期間中だけでなく退職後も業務上の秘密を漏らさないよう明示的に義務付けられています。取締役等の役員も、善管注意義務、忠実義務に基づき、業務上知り得た会社の秘密を漏洩してはならない義務を負います。公務員、弁護士、司法書士、医師、歯科医師、薬剤師および電気通信事業者などの一定の職業に従事する者は、法律上、職務上知り得た秘密について守秘義務（秘密保持義務）を負います。また、取引先との間で秘密保持契約（Non-Disclosure Agreementを略してNDAとも呼ばれます）を締結して秘密情報を取得した場合には、その秘密情報について秘密保持義務を負いますし、このように明示的な秘密保持契約を締結していない場合であっても、民法上の信義則に基づき秘密保持義務が認められる場合もあります。

以上のように他者に対して秘密保持義務を負う秘密情報を、生成AIにプロンプトとして入力する行為は、第三者である生成AIサービス提供事業者に秘密情報を開示する行為だと評価されますので、秘密保持規定を確認する必要があります。具体的には秘密保持義務を定める契約等の規定確認必要がありますが、基本的には、そのような秘密情報を生成AIサービスにプロンプトとして入力することは避けるべきでしょう。

▶ 秘密管理性・新規性喪失リスク―営業秘密・特許出願前の発明

企業等において外部に開示すべきではない自社の営業秘密や、特許出願前の発明に関する情報をプロンプトとして入力する場合、秘密管理性や新規性を喪失し、秘密情報に関する法的保護を受けられなくなるリスクがあります。

❶営業秘密

Lesson 11で説明したとおり、不正競争防止法は、企業が事業活動に使用する技術上・営業上の秘密情報のうち、(i) 秘密管理性、(ii) 有用性、(iii) 非公知性という要件を備えた秘密情報を、同法上の「営業秘密」として保護しています。

生成AIサービスにプロンプトとして自社の秘密情報を入力する場合、第三者である生成AIサービス提供事業者に秘密情報を自ら開示することになるので、営業秘密として認められる要件である秘密管理性が失われ、営業秘密としての保護を失う可能性があります。ただし、生成AIサービス提供事業者との間で契約を締結するなどして、入力された情報を秘密として保持し、目的外に利用しないことが生成AIサービス提供事業者の義務として明確になっていれば、秘密管理性が認められる余地もあります。

なお、入力した情報が追加学習に用いられる場合には、秘密情報を入力してしまうとそれがそのまま出力されてしまう可能性が生じますので、秘密情報の入力は避けるべきでしょう。また、そもそもの問題として、生成AIサービス提供事業者が秘密保持義務を負っているような場合でも、不慮の事故により情報が漏洩してしまうリスクは常にありますので、どの生成AIサービスに、どのレベルの秘密情報まで入力するかについては、そうした観点も踏まえ慎重に考える必要があります。

❷特許出願前の発明

特許法上、発明について特許を受けるためには、その発明が「新規性」を有することが必要であり、特許出願前に発明の内容を第三者に知られてしまった場合には、新規性を失い、原則としてその発明について特許を受けられなくなってしまいます。したがって、発明に関する情報を特許出願前に生成AIサービスへ入力すると、第三者である生成AIサービス提供事業者にその発明の内容を知られてしまうことで新規性を喪失し、その発明について特許を受けられなくなるリスクがあります。ただし、その発明の内容を知らされた第三者が秘密保持義務を負う場合には、例外的に新規性を喪失しないため、営業秘密の入力の場合と同様に、生成AIサービス提供事業者に秘密保持義務を負わせることで新規性喪失を避けることが可能です。

顔画像など肖像の入力

生成AIサービスの中には、文字によるプロンプト入力だけではなく、画像をプロンプトとして入力することで新たな画像を生成できる画像生成AIサービスもあります。そのようなサービスで、画像をプロンプトとして入力する場合、入力する画像が著作物や個人情報に該当する場合には、上述した著作物や個人情報に関する議論がそれぞれ当てはまりますが、特に第三者の容姿が含まれる画像を入力する場合には、それに加えて第三者の肖像権やパブリシティ権の侵害となる可能性がある点にも留意が必要です。この点については、Lesson 9を参照してください。

登録商標・意匠の入力

プロンプトとして入力する文章や画像は、商標法や意匠法により保護される可能性もありますので、登録商標・意匠をプロンプトとして入力した場合の商標権・意匠権侵害リスクにも注意が必要です。

Lesson 10で説明したとおり、商標については、商標の使用が、自他商品・役務識別機能や出所表示機能を発揮する態様での使用（商標的使用）にあたらなければ、商標権の侵害となりません。そして生成AIサービスへの入力行為が商標的使用に該当し商標権侵害となる可能性は低いと考えられます。

「意匠」とは、物品や建築物の形状、模様もしくは色彩もしくはこれらの結合、または画像であって、視覚を通じて美感を起こさせるもの（要するにデザイン）をいい、意匠法により、新規性等の一定の要件を充たし、特許庁の登録を受けたものが登録意匠として保護されます。意匠権が及ぶのは、デザインと結びついた物品等の製造、使用等の行為であるため、そのデザインに関するデータのみを生成AIサービスにプロンプトとして入力したとしても、意匠権侵害にはならないと考えられます。近年の法改正により、一定の画像自体も画像意匠として意匠登録できることになりましたが、その範囲は依然として限定的ですし、いずれにせよプロンプトの入力時点では、意匠権侵害となる実施行為がなく、意匠権侵害にあたらないといえそうです。

19 生成・利用場面の留意点

人間がAI生成物に寄与した創意工夫（創作的寄与）の程度次第で、AI生成物が著作物として保護されるか否かが決まる。AI生成物が著作権を侵害するか否かは、AI生成物が既存の著作物に依拠しているか（依拠性）、および類似しているか（類似性）により判断する

対話型AIの回答として、偶然、特定人の個人データが生成される可能性があっても、個人情報保護法上の個人データの第三者提供規制の対象とはならない。AI生成物に要配慮個人情報が含まれる場合、当該情報を利用しようとする際には本人の同意を得ることが望ましい

画像生成AIを用いたAI生成物（顔画像）の利用方法・利用態様によっては、肖像権侵害・パブリシティ権侵害が成立する可能性がある

本Lessonでは、生成AIを利用して出力されたAI生成物を利用する場面（右ページ図枠部分）における法的留意点について、検討していきます。

AI生成物の著作物性、AI生成物による著作権侵害

▶ 対話型AIの生成物の著作物としての保護

ChatGPTなどの対話型AIを利用して出力されたAI生成物が著作物とし

生成AIの処理学習段階／生成・利用段階（一般例）

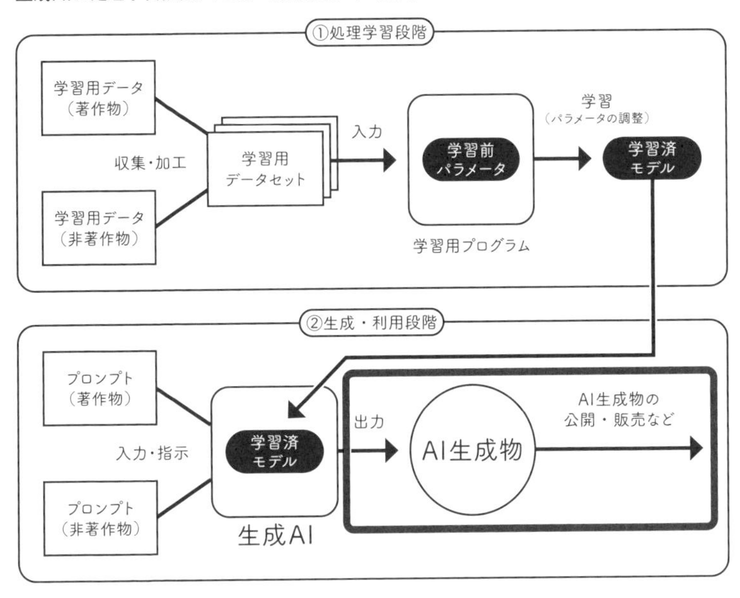

て保護されるかについて、考えてみましょう。対話型AIを利用する場合、対話型AIの回答内容は、対話型AIの利用者と対話型AIとの対話の過程で生成されます。この場合、利用者が対話型AIに打ち込んだプロンプトに対話型AIが応答した回答内容は、著作物として保護されるのでしょうか。

一般に、対話型AIを含む生成AIを利用する場面では、生成AIの利用者である人間が、生成AIを道具として利用したに過ぎないといえる場合で、かつ、AI生成物が生成AIの利用者の「思想又は感情を創作的に表現したもの」といえる場合には、そのAI生成物は、生成AIの利用者が創作したものとして、著作権法上保護される著作物となり得ると考えられています。他方で、上記のようにいえない場合、つまり、AI生成物が生成AIの利用者の創作的な寄与を経ることなく生成されたような場合には、著作権法で保護される著作物にはならないと考えられています。

例えば、対話型AIの利用者が、❶一定の場面（夕暮れ時の喫茶店）、❷一定の登場人物（マスター1人、フロア店員2人と客2人）、❸一定の長さ（10分間の映像化が可能な長さ）等の条件を設定して対話型AIに対して脚本を生成するように求めた結果、当該条件を満たす脚本が生成された場合、対話型AI利用者が対話型AIに打ち込んだプロンプトの内容は❶〜❸の各条件を設定しただけですので、当該プロンプトは、対話型AI利用者の「思想又は感情を創作的に表現したもの」とはいえないと思います。したがって、当該プロンプトは著作物にあたらず、また、当該プロンプトにしたがって生成されたAI生成物も著作物とはなり得ないと考えられます。

しかし、この例でも、対話型AIの利用者が、一度生成されたAI生成物を確認したうえで、さらに詳細な場面設定（例えば、❹夕暮れ時の喫茶店で、初対面の客2人が互いに観察し合いながらお互いの性格や癖を想像しつつコーヒーを飲んでいる、❺2人は相手の観察に没頭して、フロア店員2人から自分たち自身も同様に観察されていることに気付かない、❻その日はマスターがフロア店員の勤務態度を査定する日であり、フロア店員2人も同様にマスターから観察されている）や人物設定（マスターは30代女性で元教師…等）をプロンプトに追加していき、脚本の内容を徐々に修正していった場合は、どうでしょうか。このように段階を経ていくと、プロンプトが徐々にアイデアの範疇を超え、Lesson 18のとおり、プロンプト自体も著作物に当たるといい得るものになる可能性もあるでしょう。また、対話型生成AIにより生成されたAI生成物についても、対話型AI利用者による「思想又は感情を創作的に表現したもの」といえる可能性も生じてきて、いずれかの時点で著作物にあたるといい得る場合もあるように思われます。ただし、プロンプト自体がアイデアから著作物に変化していく過程や、プロンプトに基づき生成されたAI生成物に対して対話型AI利用者の「思想又は感情を創作的に表現した」といえる程度の工夫がプロンプトに加えられたといえる過程には、上記のようなグラデーションがあるといわざるを得ず、確定的なボーダーラインが存在するようなものではありません。そのため、現時点においては、対話型AI利用者は、プロンプトおよび対話型AIによるAI生成物が著作物として保護されるか否かは不透明であることを念頭においておく必要があるでしょう。

さらに、対話型AI利用者が、プロンプトの入力の結果生成されたAI生成物に対して、自ら加筆修正等を別途行った場合はどうでしょうか。このケースでも、当該加筆修正等の程度に応じ、生成物全体が対話型AIの利用者（加筆修正者）による新たな思想または感情の創作的な表現物といえる状態となった場合には、最終的なAI生成物は対話型AI利用者（加筆修正者）の著作物として保護されることとなるでしょう。上記で例に挙げた脚本作成の場合でいえば、上記❶〜❸の要件を入力して生成されたAI生成物を基に、利用者自身が従来どおり自ら脚本を作成した場合が挙げられます。このように、アイデア出しを対話型AIに行わせたうえで、それを基に作品を創作していくことは、まさに、人間が生成AIを道具として利用しているに過ぎないものといえ、今後、日常的に行われるようになるかもしれません。

▶ 画像生成AIの生成物の著作物としての保護

では、画像生成AIの場合はどうでしょうか。画像生成AI利用者がプロンプトを打ち込んで新たな画像を生成した場合に、当該生成物は著作物として保護されるのでしょうか。この点に関する基本的な考え方は、対話型AIの場合と同様ですが、画像生成AI利用者がどのように、どの程度画像生成AIを利用したときに、画像生成AIによるAI生成物が著作物にあたるといえるでしょうか。

結論としては、現時点で、この点に関する明確な線引きや基準はありません（文化庁においても、具体的な事例の蓄積が必要であるとされています）。しかし、例えば、上記の対話型AIの場合と同様、❶画像生成AI利用者がプロンプトの内容に微調整等を加えながら創意工夫を凝らしてアレンジし、その指示に従ったAI生成物が生成された場合には、当該AI生成物は画像生成AI利用者の「思想又は感情を創作的に表現したもの」といえる可能性もあるように思われます。

また、❶の例と同様ではありますが、❷画像生成AIが対話型の場合に、画像生成AI利用者が画像生成AIとの対話を繰り返しながら、徐々にAI生成物を完成させたという場合も、このような画像生成AI利用者は、あくまで自らの道具として画像生成AIを利用したに過ぎず、その結果生成されたAI

生成物は、画像生成AI利用者の「思想又は感情を創作的に表現したもの」として著作物といえる可能性もあるでしょう。

なお、❶の例において、AI利用者が創意工夫を凝らしたプロンプトそれ自体が当該AI利用者の著作物になり得ることはLesson 18のとおりです。

さらに、対話型AI同様、❸画像生成AI利用者が、画像生成AIによるAI生成物に対して加筆修正等を別途行った場合にも、当該加筆修正等の程度に応じ、生成物全体が利用者（加筆修正者）による新たな思想または感情の創作的な表現物といえる状態となった場合には、最終的な生成物は利用者（加筆修正者）の著作物として保護されることとなるでしょう。

❶／❷の例

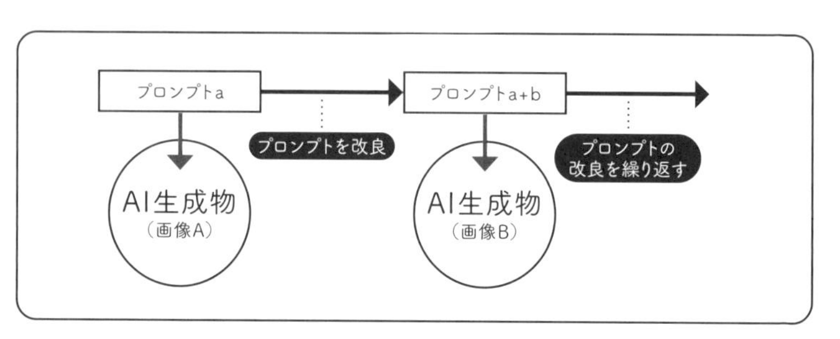

❸の例

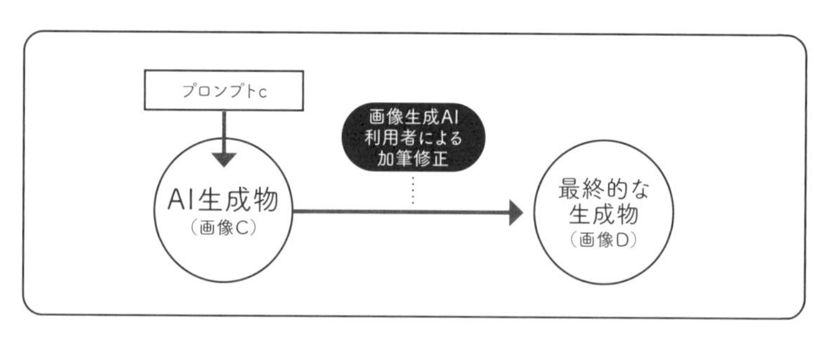

2022年8月、米国コロラド州で開催されたファインアートコンテスト／デジタルアート・デジタル加工写真部門の優勝者の絵画が、画像生成AIであるMidjourneyを用いて作られたものであったことが報じられて話題となり

ました。しかし、この優勝者は、優勝作品を完成させるまでに80時間以上の時間を費やしていたといわれています。具体的には、光の具合や色調など、Midjourneyに指示するプロンプトに微調整を加えて900個程度のバージョンを作成したうえで、3枚の画像を完成させ、さらにその画像を画像編集ソフトPhotoshopにより編集して仕上げ作業を行ったうえで、当該画像の中の女性に、自ら直接ウェーブの黒髪の頭を書き足したとのことです。この例は、上記❶のプロンプトの内容に創意工夫を加えた微調整等および❸AI生成物に対する加筆の双方が行われた例といえますが、この程度まで人間（画像生成AI利用者）の創作的活動が行われていれば、画像生成AIはまさに人間の道具として用いられたに過ぎず、そのAI生成物は著作物として保護されるように思われます。

AI生成物による著作権侵害の可能性

次に、対話型AIや画像生成AIを利用した結果出力されたAI生成物が既存の著作物を侵害する可能性があるかについて、考えてみましょう。

AI生成物に限らず、一般に、ある物が既存の著作物の著作権を侵害するか否かは、Lesson 7のとおり、(i)その物と既存の著作物との間に依拠性（既存の著作物を基に創作したこと）および（ii）類似性（創作的表現が同一または類似であること）が認められるかにより判断されます。AI生成物の場合であっても、同じ判断枠組みを用いることとなります。

対話型AIおよび画像生成AIの生成物に関する上記説明のとおり、AI生成物は、既存の著作物等をすでに学習済みの生成AIに対して、生成AI利用者が一定のプロンプトを打ち込むことにより生成されます。この場合、AI生成物は、生成AIがすでに学習していた既存の著作物等に依拠していたといえるでしょうか。

このAI生成物の依拠性の考え方については、解釈は明確に定まっておらず、定説がないのが現状です。この問題は、主に画像生成AIで問題となると考えられますが、依拠性については大きく分ければ、❶AI生成物において、既存の著作物の創作的表現の本質的特徴が表れている場合には、広く依拠性も肯定する考え方がある一方で、❷生成AIではあくまで既存の著作物のアイデアを利用しているに過ぎず、仮にAI生成物が既存の著作物に類似していた場合でも、生成AI利用者が当該特定の既存の著作物に関する認識を持っていたか否かや、生成AIの学習用データセットにおけるキーワードと画像の組み合わせおよび生成AI利用者がプロンプトとして入力したキーワードの関係性等を考慮して判断すべきだとする考え方もあります。

現状、クリエイターの視点からは上記❶の考え方（著作権侵害が成立しやすい考え方）を支持する意見が多く、今後の議論状況次第で、AI生成物については、これまで議論されてきた人間の創作した通常の著作物に関する依拠性の議論とは異なり、依拠性を広く認めるという解釈が採られる（そのように法改正される）可能性も否定できません。そうすると、少なくとも現時点では、生成AI利用者としては、出力されたAI生成物が既存の著作物に類似していた場合には、依拠性も認められる可能性があると考えて著作権侵害リスクを積極的に回避する方が安全でしょう。このような慎重な姿勢をとる生成AI利用者が増加した場合には、はじめから著作権侵害のおそれのない素材のみを学習用データに用いたサービス（例えばAdobe社のFirefly）への注目が高まることも見込まれます。

なお、依拠性に関しては、上記❶の考え方を採らない場合であっても、当然にクリアな結論が導かれるわけではありません。例えば、生成AI利用者が既存の著作物を認識しつつ、生成AIを利用して当該既存の著作物に類似したものを生成させたとして、そのような場合に依拠性が認められるかは当然に明確というわけではありません。また、特定のクリエイターの作品を集中的に学習させた生成AIを用いた場合と、そのような集中的な学習は行っていない生成AIを用いた場合とで考え方に違いが生じるかどうかも、はっきりしない点です。こうした点について、依拠性の議論として検討すべきといえるかを含め、今後の検討課題として注目されています。

他方、類似性の判断については、これまでの判断と異なる事項は特にありません。AI生成物が既存の著作物と類似するか否かは、出力されたAI生成物について、既存の著作物の表現上の本質的な特徴を直接感得できるといえるかを、従前どおり、人間の目で個別具体的に判断していかざるを得ないでしょう。

以上からすれば、現時点においては、AI生成物の著作権侵害リスクを回避する観点からは、既存の著作物と類似しているAI生成物の利用は控えることが安全であるといえるでしょう。なお、Lesson 7のとおり、著作権侵害が認められる場合、著作者は、侵害者（生成AI利用者）の故意または過失を問わず、当該AI生成物の利用の差止めを請求することができる点にも留意が必要です。また、上記のとおり、依拠性については、今後も様々に議論がされることが想定されますので、生成AI利用者においては、自身が生成AIを利用して生成したAI生成物が、特定の著作者の作品や特定の著作物に依拠していないことを立証する観点から、生成AIを利用してAI生成物を生成した際の作業過程を一から記録に留めておくことも有用であると考えられます。

個人情報・プライバシーに属する情報の生成・利用

▶ AI生成物に個人情報／プライバシー情報が含まれる場合

生成AIにより出力されたAI生成物に個人情報やプライバシー情報が含まれている場合、当該AI生成物と個人情報保護法や各人のプライバシー権との関係はどのように考えればよいでしょうか。

画像生成AIにより生成されるAI生成物は何らかの画像であり、個人情報やプライバシー情報が問題となる場面は限定的であると考えられるため、この問題は、特に対話型AIのAI生成物について検討する必要があるでしょう。具体的には、対話型AIの回答結果に個人情報が表示された場合、当該AI生成物は個人情報保護法との関係で何か問題となるでしょうか。

このような場合でも、対話型AIは、基本的には、自らの学習したデータ（個人情報）そのものを右から左に出力しているわけではなく、あくまで、対話型AI利用者により入力されたプロンプトに応じて、その回答として確からしいと思われる回答を出力しているに過ぎません。生成AIの仕組みとしては、もともと個人に着目して索引付けをしたうえで、入力内容に応じてその索引を利用して情報を引き出しているのではなく、入力された内容に応じてそのつど確率的にもっともらしい出力を生成しているに過ぎないといえます。

つまり、生成AIサービス提供事業者は「個人情報データベース等」を有していわけではなく、よって、仮に出力される情報に偶然個人情報が含まれるとしても、それは「個人データ」に該当しないから、対話型AIサービス提供事業者が対話型AIを通じて個人データを第三者に提供していることにはならず、個人情報保護法における個人データの第三者提供規制（確認・記録義務等）は及ばないと考えることも可能であると思われます。このように考えた場合には、出力行為については、個人データを対象とする第三者提供規制の対象とならず、特定した利用目的の範囲内で適法に利用できることになります。なお、上記論点に関しては、そもそもプロンプトに入力される個人情報を生成AIサービス提供事業者が取り扱っていないのであれば（いわゆる「クラウド例外」）、出力行為についても、生成AIサービス提供事業者からの「提供」を想定するべきではないのでは、という意見も見られるところです。

対話型AIの利用者が個人データを入力する場合に、利用目的規制（利用目的の特定と通知）、第三者提供規制（クラウド例外に該当するか否かの検討）、および越境移転規制を検討する必要があるのはLesson 18のとおりです。

▶ AI生成物に虚偽情報／要配慮個人情報が含まれる場合

それでは、対話型AIにより出力されたAI生成物に、第三者に関する虚偽情報が含まれ、その情報が当該第三者の名誉を毀損する内容（例えば、犯罪者であるかのような虚偽の記述）である場合に、このような情報を利用することに問題はないでしょうか。

大前提として、Lesson 1に記載のとおり、対話型AIによる回答内容（AI生成物）に虚偽の情報が含まれ得ることは、対話型AI利用者において認識しておかなければならない点です。そのため、少なくとも、対話型AI利用者が対話型AIの回答内容を私的利用するにとどまらず、第三者に公表したり商業目的で利用しようとしたりする場合には、回答内容の正確性を確認することが不可欠です。

仮に、上記のような虚偽情報が出力された場合に、当該情報を鵜呑みにして当該事実をあたかも正確なものであるかのように扱って利用した場合には、対話型AI利用者自身も、虚偽情報を利用された第三者に対する名誉毀損やプライバシー権侵害、個人情報保護法上の不適正利用に係る責任を負うおそれがあります。虚偽の情報の出力については、対話型AIサービス提供事業者が責任を負うべきだという考え方もあり得るものの、仮にサービス提供事業者が何らかの責任を負う場合であっても、そのことで対話型AI利用者の責任が免除されることにはならないでしょう。

また、仮に要配慮個人情報に該当する情報をそのまま取得した場合ではなく、生成AIが生成することで出力された情報に要配慮個人情報が含まれる場合、本人の同意を得る必要があるかという問題もあります。必要・不要どちらの整理も不可能ではないように思われますが、現行の個人情報保護法の解釈としては、Lesson 8に記載のとおり、いわゆる推知情報は要配慮個人情報に該当しないとされていること、また、独自に生成された情報とプロファイリングにより生成された情報は区別し得ることから、要配慮個人情報の取得規制の対象とはならないと解すべきであると思われます。他方で、そもそも機微性の高い情報であり、プライバシーへの配慮の必要性が高いことに鑑みれば、できるだけ本人の同意を得ることが望ましく、それができないのであれば利用するべきではない、という考えもあり得るところです（この点は、不適正利用との関係でも問題となります）。

▶ 対話型AIサービス提供事業者に対する開示請求

個人情報保護法は、一定の要件の下で、本人が個人情報取扱事業者に対して保有個人データに係る開示、訂正等（訂正、追加または削除）および利用停止等（利用の停止または削除）を請求できる権利を認めています。

個人情報保護法上は、Lesson 8のとおり、生成AIの仕組みからして生成AIサービス提供事業者の保有する個人情報が「保有個人データ」に該当しないのであれば、本人は生成AIサービス提供事業者に対し、こうした法令上の請求権を行使することはできないという整理となります。しかし、例えば、ChatGPTにおいては、利用規約上、利用者に対して、個人情報に係る開示や削除等の請求権が認められていますので、利用者においては、利用規約の内容を把握しておくことも大切です。

顔画像の生成・利用（肖像権・パブリシティ権等との関係）

画像生成AIで人の顔画像を作成することがありますが、このような画像生成AIを利用して生成した顔画像を利用する場合に、問題点等はないでしょうか。画像生成AIを利用して顔画像を生成する場合としては、❶肖像画等の絵画を入力する場合と❷写真データを入力する場合が考えられます。

前提として、肖像画等の絵画や写真は、著作権法上、それぞれ、美術の著作物または写真の著作物として保護されることがあります。ただしLesson 7のとおり、それらの著作物を情報解析目的等の「著作物に表現された思想又は感情を自ら享受し又は他人に享受させることを目的としない場合」で、「著作権者の利益を不当に害することとな」らない場合であれば、肖像画や写真についても画像生成AIに学習させることが可能です。しかし、例えば、特定の画風を出力させる目的で、特定の画家の絵画のみを学習させる場合については、著作権法30条の4に照らして、「著作権者の利益を不当に害する」ものといえ、認められないとされる可能性もあることはLesson 20のとおりです。特定の芸能人等の顔写真のみを学習させる場合の入力段階での留意点についてもLesson 20を参照してください。

では、画像生成AIにより出力された顔画像が特定人の顔（写真）に類似（酷似）していた場合に、当該顔画像を利用することは、Lesson 9記載の肖像権またはパブリシティ権（芸能人等の有名人の肖像等が商品の販売等を促進する顧客吸引力を有する場合に、当該顧客吸引力を排他的に利用する権利）の侵害となるでしょうか。

肖像権は、これまでの判例の蓄積により、幸福追求権について定める憲法13条に由来する人格権の一つと位置付けられています。そして、社会通念上受忍すべき限度を超えて名誉感情を不当に侵害するものといえる場合には、肖像権侵害が成立し、侵害者の行為は民法上の不法行為となります。この点、AI生成物については、それはあくまで生成AIが新たに生成した物であり、そもそもオリジナルの肖像がそのまま使用されているわけではないから、個人の肖像権侵害は成立しないようにも考えられます。

他方で、例えば、生成AIに対して特定人の顔写真のみを（追加）学習させた場合、出力されるAI生成物は、当該特定の人物等本人の写真と区別がつかないレベルのものとなることが考えられます。この場合には、当該AI生成物を見る者（受け取り手）の立場に立てば、オリジナルの肖像がそのまま使用された場合と区別がつかないことから、AI生成物の利用方法次第では、社会通念上受忍すべき限度を超えるものとして、肖像権侵害が成立する可能性も否定できないように思われます。すなわち、このようなAI生成物（特定の人物の写真に酷似したAI生成物）を用いて、実際には本人が実在しない場所にいるかのように示したり、実際には本人が実施したことのないような態様を作り出したりして、その利用行為が本人の「社会通念上受忍すべき限度を超え」た場合、肖像権侵害が成立し得るものと思われます。そして、この場合、「社会通念上受忍すべき限度を超える」か否かの判断は、AI学習の対象とされた特定人が一般人であるか公人（芸能人や政治家等）であるかによっても変化するでしょう（一般人と比較して、公人の場合には受忍限度を超えるハードルが高まるものと考えられます）。なお、このようなAI生成物の利用は、場合によっては本人に対する名誉権侵害等にもあたり得る点にも留意が必要です。

また、特に芸能人等の顔写真に類似（酷似）したAI生成物を生成する目的で、上記のような方法で出力したAI生成物については、Lesson 9記載のとおり、肖像等それ自体を独立して鑑賞の対象となる商品等として使用し、商品等の差別化を図る目的で肖像等を商品等に付し、肖像等を商品等の広告として使用するなどして、オリジナルの特定人の持つ顧客吸引力を利用する目的で利用した場合に該当すれば、パブリシティ権を侵害するものとしても、不法行為法上違法となると考えられる点にも留意が必要です。

COLUMN _ 生成AI利用の事実の立証困難性からみた「依拠性」の議論

AI生成物による著作権侵害の可能性を検討する際には、これまでの著作権法上の考え方とは異なり、既存の著作物の創作的表現の本質的特徴が表れている場合（「類似性」が認められる場合）には、広く「依拠性」を肯定する考え方もあると紹介しました。著作物の生成過程で生成AIが利用されているか否か（検討対象とされる著作物がAI生成物であるか否か）の違いによって、著作権法上の「依拠性」の考え方が変わることに合理性があるといえるかは、今後の検討や議論の集積が待たれるところですが、その前提として、現実問題、そもそも「ある著作物の生成過程で生成AIが利用されていること（検討対象とされる著作物がAI生成物であること）」を立証することは可能でしょうか。

例えば、X氏が、AI生成物について広く「依拠性」を肯定する立場の下、Y氏の作品Bについて、「この作品BはAI生成物であるが、当該AI生成物は、私の著作物である作品Aに非常に類似しているから、依拠性も当然認められる。この作品Bを作成したY氏は、私の著作権を侵害している」と主張してきたのに対し、Y氏の側は、「いやいや、そもそもこの作品BはAI生成物ではないから、X氏のいうような依拠性の考え方は当てはまらない。偶然類似してしまっただけで、作品Aなんて知らないし、作品Aに依拠していないから、作品Aの著作権を侵害するということはない」と反論したケースを想定してみましょう。

今のところ、日本において、「AI生成物」であることを著作物に明示しなければならない等の規制はありません（なお、EUにおいて関連する法律「AI Act」が成立する可能性があるのはLesson 16でも記載のとおりです)。AI生成物であるかどうかのラベル付けが義務化されていない以上、著作権侵害を主張された側（Y氏）が「作品Bの作成に生成AIは利用していない。自らの手による創作物である」と言い張れば、著作権侵害を主張する側（X氏）が生成AI利用の事実を立証しなければなりませんが、現在のところ、当該著作物の生成過程を知り得ない第三者がその事実を立証することは非常に困難な場合が多いといわれています。そうすると、生成AI利用の有無については、著作者の申告内容に頼らざるを得なくなりますが、それではあまりに不安定なように思われます。著作者による「生成AIは利用していない」という声明を無邪気に信用するわけにいかないのは当然でしょう。他方で、一般によくいわれるとおり「ないことの証明」は通常できない（いわゆる「悪魔の証明」）ため、「生成AIを利用していない」ことを著作権侵害を主張されている側（Y氏側）に立証させることも適当ではなさそうです。

以上のとおり、著作権侵害の有無が現実世界で争われた場合、著作権侵害を主張する者は、著作権侵害の事実（対象とする著作物について、自らの著作物に照らして、❶依拠性および❷類似性が認められること）を立証する必要がありますが、仮に、生成AIを利用した場合には❶依拠性の判断と❷類似性の判断を一体化するということになれば、著作権侵害を主張する者は、❶依拠性を立証する代わりに、❸対象とする著作物が生成AIを利用したことを立証しなければならない状態に陥るように思われます。しかし、本コラムにて検討したとおり、❸の立証（著作権者側にて生成AIを利用していないことの立証を含む）は非常に困難です。

そうすると、このような立証構造を前提とした現在の法的枠組みを維持し得るのか、疑問が残ります。また、このような「生成AI利用の事実」の立証困難性からすれば、生成AIを利用した作品に関する「依拠性」の有無の判断手法について、裁判所による個別事案ごとの判断の集積を待つという対応も、現実的ではないようにも思われます。一定の場合にAI生成物であることのラベリングを強制するEUのAI Act案のような制度は、一つの解決策となるかもしれませんが、本書執筆時点では、日本国内ではそのような制度的な議論が十分に進んでいるとは言い難い状況です。

以上の検討によれば、結局、生成AIの利用の有無で「依拠性」の判断を区別する意義は乏しいようにも思われます。仮に、「依拠性」の考え方として、AI生成物の場合には「類似性」さえ認められれば「依拠性」は幅広く認めるべきである、という方向性に舵を切るのであれば、AI生成物に限らず、創作されるあらゆる著作物について、「依拠性」の判断と「類似性」の判断を一体で検討するということになるのかもしれません。

20 処理学習場面の留意点

- 生成AIの処理学習場面のために著作物を利用することは、著作権者の利益を不当に害する場合を除いて、基本的には著作権者の承諾なく可能である

- 個人情報を処理学習に利用する場面においては、利用目的規制や第三者提供規制など、個人情報保護法上の規律を考慮する必要がある

- 顔画像を処理学習に利用する場面では、基本的には肖像権の侵害とならない。

- 学習用データについては、データの収集や利用が契約や利用規約により制限されている場合がある。収集先との間で適用される契約や利用規約がないか、スクレイピング等の禁止規定がないかを確認する必要がある

Lesson 18およびLesson 19では、主に生成AIの一般利用者を対象に、生成AIへのプロンプト入力場面および生成・利用場面における留意点をそれぞれ検討しました。しかし、生成AIサービスを一般利用者が利用できるようになるまでには、生成AIサービスを開発・提供する企業において、生成AIに大量の情報やデータ等を取り込み、処理学習させることが必要不可

欠となります。そこで、本Lessonでは、生成AIで処理学習を行う際（下図の枠部分）の法的留意点について検討していきます。

著作物を処理学習に利用する場合

生成AIの処理学習段階／生成・利用段階（一般例）

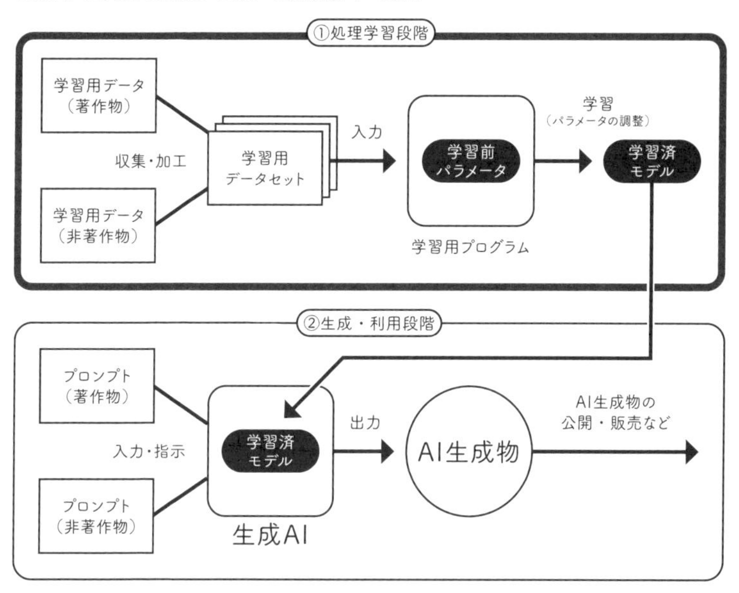

Lesson 1に記載のとおり、生成AIは、大量の情報やデータ等を学習用データとして取り込んで処理学習をすることによりその能力を高めていきます。そして、生成AIが処理学習をする際に取り込まれる学習用データの中には、他人が作成した画像や文章など多くの著作物が含まれる場合があります。

その際、著作物を含む学習用データを生成AIに取り込んで処理学習をすることについて、著作権者から許諾を受けている場合には、その行為は著作権侵害にはなりません。

では、著作権者から許諾を受けないで、著作物を含む学習用データを生成AIに取り込ませて処理学習をする場合はどうでしょうか。例えば、インターネット上で、様々なウェブサイトで公表されている著作物を自動的に集めてきて（このようにウェブサイトから大量の情報を自動で収集・抽出する技術を「スクレイピング」といいます）、これらの著作物を含む学習用データを生成AIに処理学習させることは著作権侵害となるのでしょうか。

結論からいえば、現行の著作権法では、生成AIが処理学習をする過程で取り込む（複製する）学習用データの中に他人の著作物が含まれている場合でも、一定の要件を満たす場合には著作権侵害にあたらないとされています。以下、生成AIにおいて著作物を処理学習に利用する場合の著作権法上の整理と留意点を紹介します。

▶ 思想または感情の享受を目的としない利用

著作権法では、著作権者の承諾なく著作物を複製等して利用することは、原則として著作権侵害にあたります。しかし、他方で、著作権法は、著作権者の利益を損なわない態様での著作物の一定の利用行為について、著作権者の権利行使を制限する規定（権利制限規定）を設けており、それらの規定に該当する場合には、例外的に、著作権者の承諾なく著作物を利用しても著作権侵害にならないとされています。典型例としては、テレビ番組を自宅で自分用に録画することなどが挙げられます。テレビ番組の録画は、著作物の複製にあたりますが、このような録画については、私的使用のための複製を許容する権利制限規定が適用され、著作権侵害にならないとされています。そして、著作権法は、生成AIが処理学習をする過程で著作物を複製等して利用する場合にも適用できる権利制限規定を設けています。

著作物の経済的価値は、著作物を視聴等する者がそこに表現された思想または感情を享受してその知的・精神的欲求を満たすという効用を得ることにありますので、そのような享受を目的としない著作物の利用について、著作権者の権利行使を制限したとしても、基本的には著作権者の利益を不当に害するものではないと考えられます。

そこで、著作権法は、情報解析等の他人の知覚による認識を伴わないコンピュータによる情報処理の過程における著作物の利用など、著作物に表現された思想または感情の享受を目的としない著作物の利用であれば、著作権者の許諾がなくても、必要と認められる限度で著作物を利用できることとしています（著作権法30条の4）。

そして、一般に、生成AIに著作物を含む学習用データを取り込む行為は、通常、生成AIにその著作物を情報解析（処理学習）させる目的で行うものであって、その著作物に表現された思想または感情を人間に享受させる目的で行うものではないため、同法30条の4の権利制限規定により、基本的には著作権侵害とはならないと考えられています。また、生成AIの学習用に収集したデータ等を第三者に提供する行為についても、当該提供データの利用が人工知能の開発・学習という目的に限定されている限りは、同法30条の4の適用対象となると考えられます。

ただし、例えば、3DCG映像作成のため風景写真から必要な情報を抽出する場合であって、元の風景写真の「表現上の本質的な特徴」を感じ取れるような映像の作成を目的として処理学習を行うようなケースでは、元の風景写真を享受することもその行為の目的に含まれているため、このような情報抽出のために著作物を利用する行為は、同法30条の4の適用対象とはならないと考えられます。

また、同法30条の4は、その但書において、当該著作物の種類・用途・利用態様に照らし著作権者の利益を不当に害することとなる場合は、権利制限の対象とならないと規定していることに留意が必要です。この「著作権者の利益を不当に害することとなる場合」に該当するかどうかは、その著作物の利用市場と衝突するか、または将来における著作物の潜在的販路を阻害するかという観点から判断されます。これに該当する例としては、情報解析用に販売されているデータベースの著作物をAI学習目的で複製する場合などが考えられます。

なお、生成AIの中には、特定の作家やクリエイターの作風を模倣したイラストやテキストを生成するものがありますが、そのような目的で特定の作家やクリエイターの作品のみを学習させる場合には、そもそも思想または感情の享受を目的としない利用といえるのか、また、当該作家やクリエイターの利益を不当に害することにならないか、といった点は議論の余地がありそうです。

▶ 情報処理の結果提供に付随する軽微利用など

前述のとおり、生成AIの処理学習の過程においては、著作物に表現された思想または感情の享受を目的としない利用であれば、著作権法30条の4により、原則として著作権者の許諾なく当該著作物を生成AIの処理学習のために利用することができます。

それでは、生成AIが著作物を取り込んで処理学習を行った後に、当該学習の元になった著作物の一部ないし全部をそのまま生成物の一部として利用する場合はどうでしょうか。例えば、対話型AIに、ある質問を入力すると、その回答として著作物の一部がそのまま出力されるような生成AIサービス(「2023年度のヒット曲10曲のタイトルと歌詞を教えて」と入力した場合にその回答として2023年度のヒット曲のタイトルと歌詞の一部が一覧として出力されるようなサービス)を作るために、著作物を含む学習用データを処理学習させた場合には著作権侵害になるのでしょうか。

この場合、生成AIが処理学習のために取り込んだ著作物の一部ないし全部を生成物の一部としてそのまま利用している以上、当該著作物に表現された思想または感情を享受する目的がないとはいえないため、著作権法30条の4は適用されない可能性が高いと考えられます。

もっとも、著作権法は、思想または感情の享受を目的としない利用のほかにも、例えばウェブサイト検索サービスなどの所在検索サービスや情報解析サービスなどの提供者が、情報処理の結果提供に付随して、必要と認められる限度において、軽微な利用を行う場合には、著作権者の許諾なく著作物を利用したとしても、原則として著作権侵害にならないとしています(同法47条の5・1項)。そして、所在検索サービスや情報解析サービスなどの準備を行う者は、軽微な利用の準備に必要と認められる限度で、著作権者の許諾なく著作物を複製や公衆送信等しても、原則として著作権侵害にならないとしています(同条2項)。したがって、例えば、所在検索サービスや情報解析サービスにおいて、処理学習で用いた著作物をそのまま生成物の一部として表示するようなサービスを提供するために処理学習を行う場合でも、当該サービスにおいて表示される著作物の範囲が軽微なものにとどまり、かつ、当該著作物が検索結果や解析結果の提供に付随して提供されるものといえる場合には、当該著作物を含む学習用データの処理学習についても、同法47条の5により、著作権侵害とならない余地があると考えられます。

いずれにしても、処理学習場面における著作物の利用が、著作権侵害とならないかを検討するにあたっては、生成AIにどのような生成物を出力させる目的で著作物を含む学習データを処理学習をさせるのかを事前に検討することが重要といえます。

なお、生成AIモデルの開発者自身ではなく、当該モデルを利用して自社の生成AIサービスを提供するユーザー事業者等が、当該モデルに追加学習を行わせる場合にも、これまで述べてきた議論と、同様の議論が妥当します。

個人情報を処理学習に利用する場合

生成AIが学習用データを取り込んで処理学習をする過程において、その学習用データの中には、著作物だけではなく個人情報が含まれる場合もあります。その際、個人情報保護法との関係では、どのような規制が適用され得るのでしょうか。以下、生成AIの学習場面において個人情報を利用する場合の個人情報保護法上の整理と留意点を紹介します。

▶ 利用目的規制との関係

Lesson 8で述べたとおり、生成AIサービス提供事業者が生成AIを開発するために、個人情報を取得し、これを利用する場合には、利用目的規制が問題となります。それでは、生成AIに個人情報を含む学習用データを処理学習させる際に、利用目的規制との関係では、具体的にどのようなことに留意すればよいのでしょうか。

まず、生成AIサービス提供事業者が、生成AIを開発する過程では、個人情報を学習用データセットとして用いて学習済みパラメータを生成する場合を考えてみましょう。このような場合、学習済みパラメータを得るための個人情報の利用が、個人情報保護法上の利用目的規制の対象となるかが問題となります。

この点に関しては、個人情報保護法上の利用目的規制の対象となるのは、

COLUMN _ 著作権法2018年改正～柔軟な権利制限規定の導入～

前述した著作権法30条の4および47条の5は、いずれも2018年に行われた著作権法改正において新設された規定です。特に、両規定は、デジタル化・ネットワーク化などの技術革新の進展に対応しつつ、現状の我が国における訴訟制度上の問題や企業・個人の意識傾向を踏まえ、柔軟な権利制限規定として導入されたものであり、2018年改正の目玉でした。

2018年改正以前にも、旧法30条の4（技術の開発又は実用化のための試験の用に供するための利用）および旧法47条の7（情報解析のための複製等）など、利用目的や場面ごとに個別具体的な要件の下、権利制限を認める規定は存在していました。しかし、旧法の規定については、たとえ類似の行為であっても、条文上明記されていなければ形式的には違法と評価され、そのため利用の萎縮が生じているとの指摘や、技術革新を背景とした新たな著作物の利用ニーズへの対応が困難であるとの指摘がなされたため、より柔軟な権利制限規定が導入されることとなりました。

上記のような経緯から、著作権者の利益を通常害さないものとされる現行法30条の4の行為類型（思想又は感情の享受を目的としない利用）については、2018年改正で新設された権利制限規定の中でも特に柔軟性の高い規定と位置付けられ、現行法30条の4各号は例示列挙であり、類似の行為についても実質的な観点から判断することが可能となりました。また、同条但書により、著作権者の利益を不当に害することとなる場合を権利制限の対象から除外することにより、著作権者の利益にも配慮した規定となっています。

この現行法30条の4は、生成AIの処理学習の場面において、著作権者の許諾がなくてもその著作物を利用することができることの根拠の一つとなる規定であり、生成AIの開発にとって非常に重要な存在といえます。このような我が国での柔軟な権利制限規定がもたらした状況を捉えて、早稲田大学法学学術院の上野達弘教授が「機械学習パラダイス」と称したことも話題になりました。

他方で、現行法30条の4は、柔軟性の高い条文の内容・構造であるがゆえに、その解釈は一義的には定まっておらず、特に生成AIとの関連では、今後も活発な議論の対象となることが予想されます。

あくまでも個人情報保護法において定義された「個人情報」であって、複数人の個人情報を処理学習の学習用データセットとして用いて生成した学習済みパラメータ（重み係数）は、特定の個人との対応関係が排斥されている限りにおいては、統計情報と同様に個人情報に該当しないと解されます。そのため、生成AIサービス提供事業者が、このような学習済みパラメータを得るために個人情報を利用することは利用目的規制の対象外となり、学習済みパラメータに加工すること自体を利用目的とする必要はないと考えられます。

次に、ユーザー事業者が、学習済みモデルに特定の個人との対応関係が排斥されていない個人情報を入力して追加学習させる場合を考えてみましょう。このような特定の個人との対応関係が排斥されていない個人情報を利用する場合には、利用目的規制の対象となります。

Lesson 8で述べたとおり、個人情報保護法上は、特定すべき利用目的としては、個人情報の利用によって最終的に達成しようとする目的を特定すれば足り、それを達成するための手段としての「処理方法」まで特定する必要はないと解されています。そして、生成AIによる処理学習段階における利用は個人情報の利用の一過程であって、通常はそれ自体が最終的な目的ではないため、具体的な処理方法を記載する必要はないと考えられます。ただし、利用目的の特定の趣旨からすると、本人が自らの個人情報がどのように取り扱われることとなるか、利用目的から合理的に予測・想定できるようにする必要があるという観点から、近年、いわゆる「プロファイリング」（本人に関する行動・関心等の情報を分析する処理）を念頭に利用目的規制を厳格化する傾向があります。すなわち、本人がそうした分析が行われていることを把握していなければ、本人にとって想定しえない形で個人情報が取り扱われる可能性があり、これは合理的に想定された目的の範囲を超えているとも考えられることから、現在では、こうした処理を行う場合には、分析結果をどのような目的で利用するかだけではなく、そのような分析処理を行うこと自体も利用目的として特定する必要があるとされています。したがって、仮にユーザー事業者が、特定の個人との対応関係が排斥されていない個人情報をそのまま学習用データとして入力するなど、処理学習段階において個人情報としての利用が認められるような場合においては、個人情報の利用目的が、従前特定した記載内容で足りるかどうかを慎重に検討する必要があります。

したがって、実務上、ユーザー事業者が個人情報を取得しようとする際には、その情報を用いて学習した生成AIにより達成しようとする最終目的だけではなく、どのような情報を分析して最終目的に向けて利用するのかも併せて明記することが必要となります。

なお、すでに通知・公表されている利用目的に、生成AIによるプロファイリングや提供するサービスの最終目的が含まれていない場合には、利用目的の変更が必要となると考えられます。個人情報保護法上、変更前の利用目的と関連性を有すると合理的に認められる範囲を超えて個人情報を利用する場合には、本人の同意が必要となるため、上記のような個人情報の利用が、従前特定された利用目的と関連性を有すると合理的に認められる範囲での利用といえるかを検討する必要があります。

▶ 取得規制との関係

個人情報保護法上の取得規制の概要はLesson 8で紹介したとおりですが、生成AIのLLMモデルを構築するために、インターネット上の個人情報を含む公開情報を学習用データとして収集する際に、取得規制との関係ではどのようなことに留意すべきでしょうか。

まず、個人情報保護法上、個人情報を取得すること自体には、原則として本人の同意は不要です。学習用データの収集が偽りその他不正の手段による取得にあたらない限りは、通常、取得規制との関係で問題は生じません。

他方で、要配慮個人情報（病歴や犯罪歴等）については、取得にあたり、原則としてあらかじめ本人の同意を得る必要があります。したがって、例えば、スクレイピングによる大量の学習用データの中に要配慮個人情報が含まれる場合、仮に要配慮個人情報の存在を明確に認識していなくても、スクレイピング自体が「取得」にあたると考えれば、原則として事前に本人同意の取得が必要となります。しかし、網羅的なデータの収集というスクレイピングの特質上、本人からの同意取得はそもそも困難であることが想定されるところ、実務上はどのような手段が取り得るのか、難しい問題といえます。

この点に関し、個人情報保護法は、要配慮個人情報の取得であっても、その情報が本人、国・地方公共団体、学術研究機関、報道機関等が公開したものである場合等の一定の場合には、本人の同意を不要とする例外を定めています。したがって、その要配慮個人情報が、本人のSNS・ブログや報道機関等が公表した情報であれば、当該例外規定により事前に本人から同意を得ることなく収集することが可能です。

しかし、例えば、インターネット上から収集してくる要配慮個人情報の全てが、個人情報保護法が定めるこうした例外にあたるとは限りません。現時点では、この問題について明確な結論が出ているものではありませんが、個人情報委員会が2023年6月2日に公表したOpenAI注意喚起（Lesson 8参照）の中では、機械学習のために情報を収集することに関して、以下の４点を実施するよう求めており、参考となります。

❶収集する情報に要配慮個人情報が含まれないよう必要な取り組みを行うこと。
❷情報の収集後できる限り即時に、収集した情報に含まれ得る要配慮個人情報をできる限り減少させるための措置を講ずること。
❸上記❶及び❷の措置を講じてもなお収集した情報に要配慮個人情報が含まれていることが発覚した場合には、できる限り即時に、かつ、学習用データセットに加工する前に、当該要配慮個人情報を削除する又は特定の個人を識別できないようにするための措置を講ずること。
❹本人又は個人情報保護委員会等が、特定のサイト又は第三者から要配慮個人情報を収集しないよう要請又は指示した場合には、拒否する正当な理由がない限り、当該要請又は指示に従うこと。

上記からにじみ出るのは、生成AIの処理学習にあたって要配慮個人情報が含まれるものの、例外規定が使えない場合については、いまのところ具体的な解決策がないという現実です。当面の間は、上記の注意喚起の内容も踏まえながら、今後の議論を注視していく必要があるでしょう。

▶ 第三者提供規制との関係

クラウド型生成AIサービスのユーザー事業者が、例えば、個人データを含むプロンプトを入力することにより、生成AIに追加学習をさせるような場合には、個人情報保護法上の第三者提供規制との関係が問題となります。

この点に関し、いわゆる「クラウド例外」の解釈を適用することにより、生成AIサービス提供事業者の設置するサーバに保存された個人データを生成AIサービス提供事業者が「当該個人データを取り扱わないこととなっている場合」には、個人データの「提供」に該当せず、第三者提供規制の対象外とできないか、という議論があります。Lesson 8で紹介したとおり、個人情報保護委員会の利用注意喚起では、以下のとおり言及されています。

> 個人情報取扱事業者が、あらかじめ本人の同意を得ることなく生成AIサービスに個人データを含むプロンプトを入力し、当該個人データが当該プロンプトに対する応答結果の出力以外の目的で取り扱われる場合、当該個人情報取扱事業者は個人情報保護法の規定に違反することとなる可能性がある。そのため、このようなプロンプトの入力を行う場合には、当該生成AIサービスを提供する事業者が、当該個人データを機械学習に利用しないこと等を十分に確認すること。

これによれば、少なくとも、プロンプトとして入力された個人データが処理学習に利用される場合には、「個人情報保護法の規定」に違反する可能性があります。そうすると、そもそも入力された個人データを処理学習に利用しないような措置を講じる場合は良いですが、ユーザー事業者が、個人データを含むプロンプトを入力することにより生成AIに追加学習をさせるような場合には、個人データの「提供」に該当するものとして整理せざるを得ないと考えられます。

したがって、入力された個人データを学習用データとして処理学習に利用する場合には、第三者提供規制にのっとり、原則として本人の同意を得る必要があります。

他方で、Lesson 8で説明したとおり、入力された個人データを処理学習に利用する場合であっても、例外的に個人データの取り扱いの「委託」に該当すると整理できれば、提供先は第三者ではないため、本人同意は不要となります。ただし、委託元のための取り扱いと委託先独自の目的での取り扱いの線引きは難しい論点です。委託先が委託元の利用目的の達成に必要な範囲内で自社の分析技術の改善のために利用することは認められますが、処理学習を行うことを前提としつつ委託と構成するのであれば、少なくとも、委託先での学習が委託元にとって直接または間接に利益になることが必要であり、無限定に処理学習が行われる場合には委託として構成できないと考えられます。なお、委託と整理する場合には、委託先への監督も必要となり、利用規約の条項やその遵守状況を確認する必要が生じます。

さらに、入力情報が学習用データとして利用される場合で、生成AIサービス提供事業者が外国にある事業者である場合には、越境移転規制の対象となります。越境移転規制の詳しい整理については、Lesson 8を参照してください。

顔画像を処理学習に利用する場合

Lesson 19では、画像生成AIにより出力された顔画像が特定人の顔（写真）に類似（酷似）していた場合に、当該顔画像を利用することに法的な問題がないか検討しました。それでは、生成AIに顔画像を処理学習させること自体に法的な問題はあるのでしょうか。

まず、顔画像が著作物または個人情報に該当する場合には、これまでの著作物・個人情報に関する前述の議論がそれぞれ当てはまります。

そのほか、顔画像を処理学習することに特有な議論として、肖像権侵害とならないかが問題となり得ます。Lesson 9に記載のとおり、肖像権侵害にあたるかどうかは、その顔画像の利用が社会通念上受忍すべき限度を超えるかどうかによって判断されると考えられるところ、すでに撮影された顔画像を取り込んで、人間が認知しない形でAIが処理学習を行うだけであれば、そもそも「撮影」や「公表」と解釈することは難しいうえ、社会通念上受忍すべき限度を超えるとは言い難く、肖像権の侵害とならないと考えられます。もっとも、もっぱら特定の人に酷似した画像を生成する目的で、その人の顔画像ばかりを収集して生成AIに処理学習させるといった利用態様の場合については、本書執筆時点において解釈が定まっているわけではありません。一定の場合には、社会通念上受忍限度を超えると判断され肖像権侵害が認められる可能性も完全には否定できません。

また、生成AIで特定の人に酷似する顔画像を生成し、利用しようとする際に、その特定の人が著名人である場合には、パブリシティ権侵害も問題となり得ることは、Lesson 19で述べたとおりです。

契約や利用規約による利用制限

前述のとおり、学習用データに含まれている著作物は、当該著作物から思想または感情を享受する目的で利用するのでない限りは、原則として著作権者の許諾なく利用することができました。しかし、実務上は、学習用データの収集先となるウェブサービス等を運営する企業等との間で締結している契約や当該ウェブサービス等の利用規約により、スクレイピングを含む情報・データ等の収集や複製等の利用を禁止する規定が定められている場合があります。

このような場合、AI開発のための情報解析などについて著作権者の許諾を不要とする権利制限規定である著作権法30条の4との関係が問題となります。しかし、当該規定はあくまで著作権侵害とならないことを定めるのみであり、契約などによってそのような行為を禁止することを許さないような類の規定ではないと解されています。そのため、契約や利用規約で学習用データの収集先の情報・データ等の利用が制限されている場合には、これらの情報・データ等を学習用データとして利用すると契約違反になる可能性があります。ただし、実務上重要な点としては、単にスクレイピングを行うというだけでは、スクレイピングを行う主体が情報・データの提供元との間で当然に契約関係に入るとは言い難いことが指摘できます。契約に基づく法的拘束力が生じるような状況であるかどうか、生じるとしてその範囲はどうか、といった点を検討する必要があるといえます。

このように、著作権法上は問題とならない態様での学習用データの利用であっても、契約や利用規約によってその利用が制限される場合があるため、特にスクレイピングを伴う学習に際しては、学習用データの収集先との間で適用される契約や利用規約がないか、そうした契約や利用規約がある場合には学習用データとしての利用を禁止するような規定がないか、といった点に留意をする必要があります。

生成AIサービス導入の検討ポイント

生成AIサービスを導入するにあたっては、❶生成AIサービスの利用規約やプライバシーポリシーを確認すること、❷社内ガイドラインや対応窓口の設置など社内体制の整備を行うことが必要である

導入にあたってのリスク・対策の概要

▶ 生成AIサービスの利用規約・プライバシーポリシー等の確認

生成AIサービスを自社に導入する場合、まず重要となるのは、導入する生成AIサービス提供事業者の利用規約やプライバシーポリシー等の内容を確認することです。生成AIサービス事業者によっては、利用規約において、AI生成物の商用利用の禁止、AI生成物であることの明示など、一定の制限を定めている場合があります。自社で想定している利用方法がこうした制限に抵触し、利用規約に違反しないかという観点から検討をする必要があります。さらに、AI生成物の権利が誰に帰属することになっているのか、他人への権利行使が制限されていないかといったポイントも検討する必要があります。

また、生成AIサービス提供事業者における入力データの利活用の範囲も要チェックポイントです。例えば、対話型AIを利用するにあたって、入力したデータが生成AIモデルの訓練・改善のために利用されることが定められている場合には、個々の利用場面において個人情報・機密情報が入力されないような方策をとることが必要です。個人情報保護法との関係では、入力した個人情報が将来におけるAIモデルの学習に利用される場合には個人データの第三者提供に該当し得るため、その可能性があるかどうかや、そうした利用を回避する方策の有無を確認しましょう。

▶ 社内体制の整備

企業内において、役職員に対し生成AIサービスの業務利用を許可した場合、思いがけない法的なリスクが生じる可能性があります。例えば、従業員が画像生成AIを使用して作成した画像が第三者の権利を侵害するものであったり、あるいは、従業員が社内の機密情報・守秘情報などを生成AIサービスに入力した結果そうした情報が流出してしまったり、他社との契約に違反してしまったりするおそれが生じます。

そのような不測の事態を避けるため、第三者の生成AIサービスを業務上利用する場合には、各事業部門や業務エリアにおいて、必要な社内体制を整備する必要があります。典型的な対応としては、生成AIサービスの利用に関する社内ガイドラインの整備を行い、必要に応じてトレーニングや研修を行い、ガイドラインの内容を周知することが考えられます。加えて、ガイドラインの適否が不明確な事例やインシデントが発生した場合に相談できる窓口や対応フローをあらかじめ整備しておくことも有用です。

▶ APIに関する利用規約等の確認

他社が提供する生成AIサービスを自社サービスに組み込んで提供する方法として、アプリケーション・プログラミング・インターフェース（Application Programming Interface：API）を活用する場合があります。APIとは、一般的にはアプリ、ソフトウェア、ウェブサービス同士をつなぐインターフェースのことを指します。例えば、ChatGPT APIを利用することによって、ChatGPTを機能として組み込んだ自社独自のサービスを開発することができます。APIの利用に関しては、通常の利用規約とは異なる利用条件が定められている場合も多いため、その場合に適用される規約の確認が必要となります。特に、APIを利用した自社サービスを自社顧客等の第三者に提供する場合には、当該第三者の入力した情報が自社サービスを経由してAPIの提供元にわたることとなるため、当該情報の取り扱われ方がどう定められているか、といった点も確認するようにしましょう。

利用規約・プライバシーポリシー等の確認

一般的に、生成AIサービスの提供事業者は、サービスを利用する際のユーザーの権利や義務、制約、責任、保証、利用条件などを利用規約において定めています。また、プライバシーポリシーにおいて、取得する個人情報の範囲や、その利用目的など個人情報の取り扱いに関する規定を定めています。ウェブサービスにおける利用規約とは、ユーザーがサービスを利用するに際して事前に同意することが求められるドキュメントであり、これによって、事業者とユーザーとの間には、当該利用規約の内容に基づく契約関係が成立します。ユーザーは通常、当該利用規約に定められた範囲内でのみ、当該サービスの提供事業者からサービスの利用を許されることになります。

このことは、生成AIサービスにおいても変わりません。生成AIを利用したサービスを検討する際には、当該生成AIの利用規約等をしっかりと確認する必要があります。

ここでは、ChatGPTを提供しているOpenAI社が公開している利用規約等を具体例として、生成AIサービスを導入する際に検討すべきポイントをピックアップして検討します。

▶ 利用規約等の種類

OpenAIのホームページ（https://openai.com/policies）によれば、本書執筆時点で、OpenAIの提供するサービスに関する主な利用規約等には以下のものがあります（以下本Lessonで述べるOpenAIの利用規約等に関する記述は、すべて本書執筆時点のものです）。

- Terms of use
- Privacy policy
- Usage policies
- Sharing & publication policy
- Brand guidelines
- API data usage policies

このうち「Terms of use」は、OpenAIが提供するサービスやプロダクトを利用する際の利用条件を定めた主な利用規約であり、「Privacy policy」は、個人情報の取り扱いについて定めています。OpenAIはこのほかにも、ChatGPT等、OpenAIが提供する生成AIの利用の制限について定めた「Usage policies」や、AI生成物の共有と公開について定めた「Sharing & publication policy」、"OpenAI"や"ChatGPT"などのロゴや商標等のブランドの使用に関するガイドラインである「Brand guidelines」などを定めています。

▶ 商用利用の可否・禁止、制限された利用行為

一般に、コンテンツ提供型サービスの利用規約には、商用目的での利用を禁止したり、有料版に限定して許容したりするものが少なくありません。生成AIにおいても、生成AIサービスやAI生成物の商用利用を検討する際には、利用するサービスが商用利用に対してどのようなスタンスを取っているのかを確認する必要があります。

また、商用利用の可否以外にも、生成AIによっては特定の利用行為を禁止または制限している場合があります。例えば、OpenAIの「Usage policies」は、OpenAIのユーザーが、ChatGPTなどのサービスを、アダルトコンテンツや賭博のために利用することや、無資格で法律実務に従事すること、または有資格者が情報を確認することなく、オーダーメイドの法的アドバイスを提供すること、特定の病状の治癒・改善するための方法についてアドバイスすることを禁止しています。また、医療や金融、法律の分野における消費者向けのサービスや、ニュースの生成・要約のためにChatGPTなどを用いる場合には、AIが使用されていること、およびAIの潜在的な限界に関する免責事項をそれらのサービスの利用者に示さなければならないとされています（特定の分野における業規制との関係については、Lesson 14も参照してください）。

このように、生成AIを導入しようとしているサービスによっては、生成AIの利用が禁止されていたり、利用の範囲や方法を制限されていることに注意しなければなりません。

▶ AI生成物の権利の帰属

AI生成物に関する著作権をはじめとする権利の帰属についても、生成AIサービス提供事業者の利用規約ごとに異なる取り扱いがなされており、注意が必要です。

例えば、❶生成AIのユーザーに生成物の権利の全部を帰属させる場合、❷生成物の権利をユーザーに帰属させるものの、非独占的なライセンスを生成AIサービス事業者に付与させる場合、❸生成物をパブリックドメイン（著作権による利用の制約が課せられない作品や情報であり、誰もが自由に複製、利用、配布、変更などを行うことができるもの）として扱い、ユーザーに固有の権利も認めない場合などがあります。このほかにも、利用規約に生成物の帰属に関して特定の条件や制約を定める場合も考えられます。

Open AIの「Terms of use」では、Chat GPTなどのサービスについては、ユーザーが「Terms of use」を遵守することを条件として、生成物に関するすべての権利がユーザーに帰属し、販売や出版などの商業目的を含むあらゆる目的での利用が許容されると規定されています。

コンテンツ制作の補助などを目的に生成AIの導入を検討しているような場合、利用規約の規定によっては、当該コンテンツについての著作権等が自らに帰属せず、他人に使われても何の請求もできない可能性があるため、特に注意が必要です。

▶ 生成AIの利用についての表示義務

生成AIサービスの利用規約によっては、生成AIを用いた自社サービスを提供する場合に、その裏側で動作する生成AIサービスの存在を明示することを義務付ける場合や、AI生成物を利用する場合に、それが当該生成AIサービスを利用して生成されたものであることの明示を義務付ける場合があります。前述した特定の業界分野において生成AIを用いたサービスを行う場合に、AIが使用されていることおよびこれによる限界をサービスの利用者に表示する義務も、この一環といえます。

Open AIの利用規約を見ると、例えば、「Sharing & publication policy」では、AI生成物をソーシャルメディアやライブストリーミングに利用する場合、当該生成物がAIによって生成されたものであることをわかるように表示することを義務付けています。また、生成AIを利用して作成された出版物にかかる生成物については、前書き等に、生成AIがその出版物においてどのような役割を果たしたのか（文章の起草や、編集等のいかなる作業に関与したのか）を明らかにしなければならず、当該出版物をすべて人間が作成したものであると表現したり、すべてAIが作成したものであると表現したりしてはならないとされています。また、「Brand guidelines」では、生成AIを自社のサービスに利用する際、自社サービスがOpenAIの技術に基づいて開発されていることを明らかにする表現（"powered by ChatGPT"、"built on ChatGPT" など）を用いることとし、OpenAIとの公式なパートナーシップを示唆するような表現（"builtwith"、"developedwith"）は避けなければならないと規定されています。

生成AIやAI生成物を用いたビジネスを行う際には、このような表示に関する利用規約にも注意が必要です。

社内体制の整備

多くの企業において、自社の業務の効率化のため生成AIを活用したいというニーズは、ますます高まっている状況といえます。本書において検討をしてきたように、生成AIを利用する際には、第三者の権利や利益を侵害しない形での利用が求められ、また、利用規約などの契約を遵守する形での利用が求められます。したがって、業務において生成AIを導入する場合、社内で生成AIを利用するすべての人が、法律違反や契約違反を避けるために注意すべきポイントを認識し、適切な利用を行うことができるような社内体制をあらかじめ構築する必要があります。

このような観点から、社内で生成AIの利用に関する共通認識を持つためにまず重要なのが、ガイドライン（社内規程）の策定です。ガイドラインには共通の答えがなく、自社の業務分野や導入目的に応じて個別具体的に内容を検討する必要がありますが、例えば、日本ディープラーニング協会が公表する「生成AIの利用ガイドライン」は一定の参考となるでしょう。

もう一つの重要なポイントは、ガイドラインの周知です。せっかく制定しても、役職員がその内容を認識し理解しなければ意味がありません。そのため、ガイドラインを作るだけではなく、自社の具体的な利用場面に即したケーススタディを含め、社内ガイドラインを周知するための研修を行うことも同時に重要になります。まずは抽象的な最低限のガイドラインでも定めることは有益とはいえますが、具体的な定めを置くためには、社内で実際に利用する具体的な生成AIとその利用場面を特定するべきことになります。複数の生成AIサービスを利用する場合には、サービスごとの具体的なルールを定めることも一案です。

以下では、ガイドラインを作成する際の一般的なポイントを概観します。

▶ 利用目的の特定

ガイドラインを作成する際、まず考えなければならない点が利用目的です。業務との関係で、生成AIをどのような場面で、どのような目的で使うことを許容するかを明確化することが、ガイドラインの方向性を決めていくうえでも重要となります。

利用目的を明確に定めることができれば、生成AIの利用を禁止する場面を特定することもできます。例えば、利用目的に照らして明らかに必要性に欠ける利用、他人の権利や利益を侵害するおそれのある利用、会社のコンプライアンス上許容すべきでない利用については、明示的に禁止する必要性が高いといえます。

なお、利用を禁止する場面を特定する際に問題となるのが、生成AIの利用可否を、「禁止・許可」という単純な2区分のみとするのか、上記2区分に加えて、原則は禁止であるものの、個別の申請と許可のプロセス等により例外的に利用が許容される「個別承認」を加えた3区分とするのかです。個別承認プロセスを置くことは、承認を行うための体制を社内に整備しなければならない点でコスト要因となりますが、その分柔軟な対応が可能となります。想定される利用行為が具体的になればなるほど、どのような場合に一律禁止とし、どのような場合に申請を認めるのかを明確に整理することができます。このような観点からも、利用目的の明確化が重要となります。

また、会社内部の部門、部署によって生成AIの利用に関するルールを変えたり、特則を設けたりすることも考えられます。例えば、研究開発部門と、製品の営業販売部門とでは、生成AIに求められる役割は異なることが想定されます。

▶ プロンプト入力において注意すべき事項

本書で見てきたように、生成AIの基本的な仕組みとしては、大きく分けて、❶データ処理の学習、❷ユーザーによる指示（プロンプト）の入力、❸生成物の生成・利用という3つの段階が存在します。第三者が開発・提供する一般的な生成AIサービスを利用する場合、❶の場面は基本的に考える必要がありませんので、特にプロンプトの入力場面、生成物の生成・利用場面について、特に注意すべき点をガイドラインに盛り込むべきこととなります。

プロンプトを入力する場面においては、Lesson18に記載のとおり、著作物であるテキスト・画像などの入力、個人情報の入力、顔画像など肖像の入力、守秘情報・機密情報の入力についてそれぞれ留意すべきポイントがあります。

まず、法律違反、契約違反や権利侵害を避けるために、生成AIにプロンプトとして入力することを禁止するものをガイドライン上明確にしておくことが考えられます。例えば、個人情報保護法との抵触を避けるため、外部の生成AIサービスを利用する場合に個人情報をプロンプトとして入力することを禁止することを定めることが考えられるでしょう。

次に、著作物であるテキスト・画像の入力は、コンピュータ上での内部処理のみに利用されるコピーや、セキュリティ確保のためのソフトウェアの調査解析など、著作物の享受（鑑賞等）目的外での利用か、Googleなどの検索エンジンを用いた場合に著作物をサムネイル表示するなど、享受目的でも軽微利用にあたる行為の準備行為として行われる等であれば、著作権侵害にはあたりませんが、上記のような権利制限規定が及ばない場合には、入力自体が著作権侵害になるケースもあります。また、著作物の出力については、生成物が既存の著作物と類似する場合には、利用方法によっては著作権侵害を問われる可能性があります。著作権侵害のリスクを避けるため、入力段階において、著作物として保護されている他者のテキスト・画像などをそのままプロンプトに入力することや、特定の作家名や作品名、画風などをプロンプトに入力することを禁止することも考えられます。もっとも、利用方法によってそのようなリスクは変わり得るため、著作物について、入力は一律禁止としないものの、利用する場面によってその取り扱いを変えるという方法も考え得るところです。

▶ 守秘情報・機密情報の取り扱い

プロンプト入力の場面においては、守秘情報、機密情報の取り扱いについても、特に注意を要します。企業の機密情報が漏洩すれば、当該企業には莫大な損害が生じることにもなりかねませんし、企業の営業秘密が外部に漏洩すれば、当該営業秘密について、不正競争防止法上の営業秘密該当性を喪失し、本来受けられるはずだった法律上の保護を受けられなくなる可能性もあります。このような観点から、機密情報や営業秘密の取り扱いには細心の注意が必要になります。

企業が第三者との間で営業秘密（機密情報）のやり取りを行う際には、その前に秘密保持契約（Non-Disclosure Agreement)、いわゆるNDAを締結するのが一般的です（業務委託契約など取引についての契約の中に、NDAの要素を守秘義務条項として入れ込むこととして、NDA自体は締結しないこともありますが、いずれにせよ事前の締結が重要です)。NDAでは、自社や他社の営業秘密（機密情報）の範囲や利用方法が規定され、機密情報の第三者への開示が禁止されることが一般的です。

▶ 入力情報に関する利用規約・NDAの規定

生成AIサービスを利用する際には、生成AIサービス提供事業者が生成AIサービスに入力された情報の利用について、利用規約等でどのような定めを設けているか、生成AIサービスへの情報の入力が他社との間のNDA違反にならないかという点を注意して確認する必要があります。特に確認すべき点は以下の3点です。

第一に、生成AIに入力された情報の機密の保持について明確な記載があるかを確認する必要があります。入力された情報の機密保持について適切な規定がない場合、当該生成AIサービス提供事業者は営業秘密（機密情報）を第三者に漏洩する可能性があることになり、機密情報の漏洩や、営業秘密該当性の喪失の危険性があることになります。

第二に、生成AIに入力された情報に対して、生成AIサービス提供事業者がどのようなアクセス権限を有しているかを確認する必要があります。生成AIサービス提供事業者も、営業秘密（機密情報）を管理する企業にとっては第三者であるため、生成AIサービス提供事業者が、入力された営業秘密（機密情報）を、開示した企業へ生成AIサービスを提供する目的以外にも利用する可能性が排除されていない場合には、営業秘密（機密情報）の利用の範囲について、開示した企業からのコントロールが及ばない以上、やはり機密情報の漏洩や、営業秘密該当性の喪失の危険性があることになります。

第三に、他社の営業秘密（機密情報）を入力する場合については、更なる検討が必要です。上記のように、他社から営業秘密（機密情報）が開示される場合には、一般的にNDAが締結され、開示された営業秘密（機密情報）の開示や利用の範囲に制限が加えられます。このようにNDAによって保護された他社の営業秘密（機密情報）を生成AIに入力する場合には、NDAで禁止された情報の利用・開示とならないかを考える必要があります。

▶ 守秘情報・機密情報についての社内ガイドライン

NDAの規定内容によりますが、一般論として、入力した情報が生成AIサービス提供者の学習に用いられるような場合には、そのような情報の入力はNDAに違反する可能性があります。現実的には、他社の営業秘密（機密情報）については生成AIに入力しないという社内ガイドラインを整備する必要性が高いでしょう。ただし、NDAにおいて例外的に許容される営業秘密（機密情報）の利用行為に、生成AIへの入力行為が含まれることが明確であるような場合には、ガイドライン上も例外的に入力してよいと定めて差し支えないでしょう。

ところで、このように、生成AIに情報を入力する場面においてNDAの内容を確認する必要が生じたことは、裏を返すと、生成AIの発展によって、これからNDAを締結する際には、生成AIというこれまで考慮されてこなかった存在をも踏まえて内容を考える必要が出てきたということです。具体的には、生成AIへの入力行為も念頭に置きながら、情報の利用・開示ができる範囲を決める必要性が高まってきており、将来的には、NDAの中で生成AIに関連した利用の可否等について明示的に定める実務が一般化するかもしれません。

実務上は、上記の3点をクリアした場合であっても、現実的なセキュリティ上の懸念を考慮して慎重な対応をとるケースも多いといえます。例えば、きわめて重要な営業秘密については、生成AIサービス事業者側でセキュリティインシデントが発生して営業秘密該当性が失われてしまう可能性も踏まえ、一切入力しないという対応をする企業が多いと思われます。もう少し緩和したルールとして、仮に営業秘密の入力をある程度は許容するとしても、比較的重要性が低いもの（万が一のインシデントがあってもそこまでの重大な損害は発生しないもの）に限ることが考えられます。また、このように機密情報の入力を許容する場合には、自社の情報管理に関する内部規程と生成AIに関するガイドラインとの整合性を考える必要もあります。機密情報も、その内容や性質によって、極秘（社内のごく限られた一部にしか共有されないきわめて重要な情報）・社外秘（社外への情報の漏洩は許容されないものの、社内では共有することのできる情報）・非機密情報（情報の保護が特に求められていない情報）等、機密性の程度に応じた分類がされている場合があります。生成AIの利用ガイドライン上も、このような分類に沿って、生成AIへのデータの入力が許容される範囲を明確に規定する必要がありますし、必要に応じて、従来の機密性の区分にとらわれず、分類自体を見直す必要もあるでしょう。

▶ 限定提供データ

なお、会社において機密情報として取り扱っていない情報であっても、業として一定の条件の下で特定の相手にのみ提供している情報については、不正競争防止法上の「限定提供データ」として、同法によりその不正取得等に対して一定の法的保護が定められています。営業秘密による保護が受けられないような情報であっても、例えば、事業者と契約を結び、ID・PW（パスワード）等を付与されたユーザーのみが当該データベースにアクセスできるようになっている情報等については、限定提供データとして法律上の保護を受けられる場合があるということです。

限定提供データとして保護されるのは、一定の条件を満たした特定の相手にのみ提供されている情報ですが、生成AIに限定提供データに該当する情報を入力する場合、生成AIサービス提供事業者が当該一定の条件を満たしていないことによって、限定提供データ該当性が否定されてしまう可能性があります。営業秘密と同様に、利用規約等において機密保持が明文で定められているか、生成AIサービス提供事業者がどのようなアクセス権限を有しているか等を確認する必要があるとともに、限定提供データとしての法的保護を受けられない可能性があることに留意して、生成AIへの情報の入力の要否を判断する必要があります。

営業秘密・限定提供データの詳細についてはLesson 11を参照してください。

▶ AI生成物を利用するに際して注意すべき事項

次に、AI生成物を利用する場面については、Lesson19に記載のとおり、著作物の生成・利用、個人情報・プライバシーに属する情報の利用、顔画像の生成・利用のほかに、業規制との関係などに特に留意する必要があります。

特に留意すべきリスクは、著作権侵害です。しかし、すでに述べたとおり、著作権侵害の成否を判断することは通常容易ではないため、個々の役職員に判断を全面的に委ねることは、あまり適当でないでしょう。よってガイドラインにおいては、すでに存在するものに似ている面がある、何かを参考にするように指示した、といったリスクのありそうなケースを具体的に例示したうえで、そのような場合には法務部門に相談したうえで利用する、といったルール設定をすることが考えられます。

加えて、特に生成AIを利用する場面において重要な留意点として、対話型AIによる回答内容（AI生成物）には、虚偽の情報が含まれ得るという点です。一般的な大規模言語モデルにおいて、生成AIがAI生成物を生成するプロセスは、大量のデータの学習により、入力された質問に続けた応答として、確率が高いとされる回答を出力しているというものに過ぎません。したがって、生成AIは質問に対して堂々と嘘（真実と異なった回答）をつく可能性（この現象はハルシネーションとも呼ばれます）があります。

また、生成AIは、質問された時点で学習している情報をもとに回答を出力するところ、この情報が古い可能性にも留意しなければなりません。例えば、本書執筆時点では、OpenAIから提供されているChatGPTは、GPT-3.5、GPT-4のいずれも、2021年9月時点までの情報のみしか学習していません。したがって、最新の情報と異なる回答をする可能性がある点にも注意しなければなりません。なお、このような学習データに最新のものが含まれないことに起因する問題は、Web3ブラウジングを組み合わせネット上で最新情報を取り込むといった機能をあわせて用いることで一定程度解決されることとなります（例えば、本書執筆時点では、OpenAIはGPT-4のβ版としてWebブラウジング機能（本稿執筆時点で一時停止中）を提供していますし、Microsoft Bing Chatは当初からWebブラウジングを行うことを前提としたサービスとして提供されています）が、ハルシネーションが完璧に解消するわけではありません。

したがって、ガイドラインにおいては、上記のようなハルシネーションのリスクが存在することを注意喚起したうえで、AI生成物を対外的に利用するような場合には、回答内容の正確性をあらかじめ確認することを義務付けることが考えられます。

また、利用する生成AIサービスの利用規約によっては、利用範囲や利用方法に一定の制限が設けられている場合があるというのは上述したとおりです。したがって、ガイドラインにおいては、利用するサービスごとに利用規約に従うべきであることを注意喚起したうえで、利用を許可するサービス（または、特にサービスを限定しないのであれば、代表的なサービス）ごとに、留意すべき禁止事項や遵守事項をわかりやすく例示列挙し、遵守を促すことが考えられます。特に、具体的な表示義務を負う事項については、表示の具体例を示すなどして、現場での判断・利用をできるだけ容易にすることが望ましいでしょう。

▶ 生成AIに関する相談窓口の設置

生成AIの利用に関するガイドラインを策定することによって、日常的な業務の中で生じる生成AIに関する一般的な疑問には一定程度応えることができますが、実際には、個別の業務の中で、ガイドラインではカバーしきれない様々な疑問が生じることが予想されます。また、ガイドラインを定めても、著作権侵害に代表されるように、実際の事案での法的な判断が難しい事項も多いと思われます。そのため、生成AIの利用について不明点が生じた場合の相談窓口の設置をガイドラインに定めることが考えられます。

また、ガイドラインに違反した利用行為や、そのおそれがある行為を通報・相談できる窓口の設置も、ガイドラインを機能させるためには有用です。加えて、生成AIを利用した場合の利用状況を記録に残す義務をガイドラインに規定することで、ガイドラインに違反した利用行為や、そのおそれがある行為を具体的に把握することも可能になります。

生成AIを自社サービスに導入する場合（API連携）

生成AIを自社の事業活動に導入する方法の一つに、APIによる連携が挙げられます。上述したとおり、これは、一般に、アプリケーション、ソフトウェア、ウェブサービス同士をつなぐインターフェースを指します。例えば、OpenAIが提供しているChatGPT APIを用いることにより、利用する企業は、ChatGPTを利用した自社独自のサービスを開発し、企業の内部のみならず、外部向けにサービスを提供することもできます。

すでにChatGPT APIを使って提供されるサービスは多数登場していますが、このようなAPI連携による生成AIの利用を検討する場合には、以下の点に注意する必要があります。

▶ API連携による生成AIサービス提供事業者のデータ利活用の範囲

生成AIサービス提供事業者は、生成AIのAPI連携にかかるサービスを提供している場合、特に、APIの利用に際して適用される利用規約等を公表している場合が多く、当該利用規約等の内容を確認する必要があります。APIに関する利用規約等のうち、特に重要なものは、API連携によって入力されたデータの利活用の範囲にかかる規定です。

API連携によって開発された自社のサービス（以下「API連携サービス」といいます）を第三者に提供する場合、当該サービスを利用した第三者がAPI連携サービスの利用にあたって入力したデータは、API連携サービスを通じて、その裏側にある生成AIに入力されることになります。ここで問題となるのが、エンドユーザーである第三者が、API連携サービスの利用のために入力した情報が、API連携サービスの提供者とは異なる者が提供する生成AIにおいて利活用されるか否かという点です。このことは、API連携サービスのエンドユーザーが入力した情報を利用する範囲にかかわり、当該ユーザーから同意を受けるべき内容に影響することになりますので、十分に確認をする必要があります。

一例として、OpenAIの公表している「API data usage policies」によれば、ChatGPT APIを用いる場合には、ユーザーが明示的にオプトイン同意しない限り、APIを通じてユーザーから提供された情報は、全体のモデルの訓練や改善のために使用されることはないとされています（もっとも、この場合であっても、APIを通じて送信された情報は、生成AIサービスの不正使用や誤用監視の目的で最大30日間保持され、その後削除されるものとされています）。また、OpenAIのTerms＆policiesのページには、ChatGPT APIを利用する際の「Data Processing Addendum」（DPA：データ処理補遺）を締結するフォームが公開されており、OpenAIはこのDPAに従って、APIを通じて受領した情報を扱うことになります（なお、APIを使わない一般向けサービスの利用については、このDPAを締結することはできないとされています）。

▶ 開発委託先との契約・利用規約の確認

生成AIのAPI連携を利用する場合、利用する企業は、自社内部のみならず、システム開発会社などの外部パートナーと共同して独自サービスを開発することがあります。具体的には、利用する企業が有する情報を用いて、生成AIを特定のタスクに適応させていくファインチューニングや、生成AIの回答の精度を上げていくプロンプト・エンジニアリング（プロンプト・デザイン）といった技術的な措置を、外部のパートナーの協力によって生成AIに組み込んでいくことになります。

このような複数の関係者によって開発されたAPI連携サービスを用いる場合には、上記のAPI連携にかかる利用規約等のみならず、パートナーと締結した業務委託契約等の契約の内容や、API連携サービスの開発に当たって利用した他のサービスの利用規約など、関係する契約・利用規約を確認する必要があります。

▶ プラグイン連携における注意点

ここまで検討してきたのは、APIによって生成AIを連携したサービスに関する注意点でしたが、生成AIと他のサービスが連携する他の形式として、プラグイン連携があります。これは、生成AIを利用する際に、他のサービスをプラグインとして選択すると、当該他のサービスの情報を取り込んで生成AIが回答を作成するというものです。例えば、生成AIに旅行予約サイトサービスのプラグインを使うことで、生成AIとのやり取りの中で旅行の計画を立て、生成AIに表示されるリンクからやり取りをしたホテル等の予約を取れるようになります。本書執筆時点では、例えば、OpenAIがChatGPT Plusユーザー向けに、プラグイン連携機能のβ版を提供しています。

このようなプラグイン連携によって自社サービスに生成AIを導入する方法は、API連携によって生成AIを自社サービスに導入する方法とは反対向きのやり方ということができます。すなわち、API連携の場合には、ユーザーが使うインターフェースはAPI連携サービスのものであって、生成AIは当該サービスのバックグラウンドで機能することになります。これに対して、プラグイン連携の場合には、ユーザーインターフェースは生成AIのものとなり、そのバッググラウンドでサードパーティのサービスがプラグインとして機能することになります。このように、API連携とプラグイン連携は、いわば生成AIと他のサービスの関係が逆になっただけで、類似する連携方法ということができます。したがって、プラグイン連携する際には、API連携をする際と同様、プラグイン連携をするサービスに関係する利用規約や関係当事者との間の契約を確認する必要があります。

Introduction
to Generative
AI Law

LESSON 22

CHAPTER 4

生成AIの未来と展望

日本では、消費者・事業者ともに、生成AIなどの新しいテクノロジーの導入や利用に積極的な傾向が見られます。そして、日本国政府もAIがもたらす懸念を検討しつつも、基本的には、AIの開発・利用を推進する方針での動きを多く見せています。生成AIにまつわる法政策の動向を中心として、今後世の中がどのように移り変わっていくこととなるか、その展望を示します。

22 今後の展望

日本においては、官民ともに生成AIの積極的な利用が進んでいる。政府は基本的に、生成AIの積極的な開発・利用を推進する姿勢を見せている。一部のクリエイターなどからは懸念の声も挙がっている

EUにおいては、AI規則案(AI Act)が2023年内にも成立する可能性があり、国際的なルール作りが進む可能性も

生成ＡＩをめぐってはいまだ法的な整理が不明確な問題が残っているからこそ、リスクベースのアプローチが重要。生成ＡＩの利用目的や、利用方法などを基に想定されるリスクを洗い出したうえで、その顕在化可能性を分析すること、リスク低減措置をとりつつバランスをとって判断をしていくことが重要

これまで述べてきたとおり、生成AIを適切に活用していくことは、あらゆる業界において、もはや避けては通れないトレンドであるといえます。OpenAIとペンシルバニア大が公表した論文「GPTsare GPTs: An Early Look at the Labor Market Impact Potential of Large Language Models」によれば、米国の労働人口の約80%が、大規模言語モデル（LLM）の導入に一定程度の影響を受けると予測されており、生成AIがもたらす経済的・社会的なインパクトの大きさが示唆されています。生成AIの開発に対する

投資も進んでおり、その開発をめぐる競争は、世界規模で急速に進んでいます。

日本における動き

▶ 生成AIの導入に積極的な個人

日本では、生成AIなどの新しいテクノロジーの導入や利用に積極的な傾向が見られます。アドビ株式会社が2023年4月に発表した調査結果によれば、日本の消費者の75%が生成AIを好意的に受け止めており、これは米国の46%と比べて大幅に高い結果となっています。また、株式会社野村総合研究所(NRI)の調査によると、ChatGPTの日本からのアクセス数は米国、インドに次いで3番目に多いとされており、日本における生成AIに対する関心の高さがうかがわれます。

しかし、他方で事業者に視点を移すと、一部積極的に導入を進めている例も見られるものの、全体としては導入について慎重な姿勢をとっている企業が多いというのが現状のようです。生成AIの進化のスピードに法整備が追いついておらず、その利用をめぐってはいまだリスクが不明確な部分も多いことが、日本の企業が慎重な姿勢をとる要因の一つかもしれません。

▶ 日本政府における動き

そのような日本企業を後押しすべく、日本国政府は、AIがもたらす懸念点を検討しつつも、基本的には、AIの開発・利用を推進する方向での動きを多く見せています。

経済産業省は、2022年1月に「AI原則実践のためのガバナンス・ガイドラインVer. 1.1」を公表し、ステークホルダーの共通認識の形成を通じて自主的な取り組みを後押しすることを目指しています。

また、2023年4月には関係省庁の担当者間での調整を行うために内閣府に設置された「AI戦略チーム」の初回会合が開催され、政府における業務への活用について検討されました。実際にも、本書執筆時点で、デジタル庁、経済産業省、農林水産省において、生成AIの業務利用が開始されています。同様に、イノベーション政策強化推進のため政府に設置された有識者会議

「AI戦略会議」は、生成AIを中心にAIに関する前提的な論点整理を公表し、各省庁のガイドラインを年内にも統合、改定する方針で議論を進めています。

対外的にも、日本を議長国として2023年に開催されたG7において、AIのメリットやリスクを踏まえ、国際的なルールを議論する枠組みである「広島AIプロセス」が開始されることとなりました。

現時点における日本の状況は、過度な規制を避けつつ、できる限りステークホルダーにとって予見可能性が高まるようにガイドラインを公表するといった形で、生成AIに対するソフトかつ前向きなアプローチをとっているといえるでしょう。

クリエイターからの懸念の声も

生成AIについては、このように官民を超えて、様々な場面での活用が積極的に検討されています。しかし、一部の業界からは懸念の声も挙がっています。例えば、生成AIの発達がクリエイターの創作活動や権利を脅かしているとの立場から、生成AIの適正な使用や法整備を求める声が挙がっています。その背景には、画像生成AIにおいて既存のコンテンツが著作権者の承諾なく機械学習に使用されていることへの不満や、そもそも画像生成AI自体が職域を侵す存在であることに対する危機感があります。

このような懸念の声は日本に限らず、世界各国で挙がっています。例えば、生成AIを利用して、世界的なアーティストであるDrakeとThe Weekendを模した曲が音楽プラットフォームにて配信され、即座に話題となり広がっていきましたが、レコード会社からの抗議によって、結局は当該プラットフォームから削除されています。グラミー賞の主催団体は、生成AIだけで作詞作曲された楽曲をノミネートの対象外とすることを公表しています。生成AIの利用の爆発的な拡大にあたって、大きな影響を受けるであろうアーティストやクリエイターの権利や文化を守り、どのようにバランスをとっていくのかという政策的な議論も必要です。

世界の動向

世界各国において、生成AIをめぐる法整備や執行の動きが急速に進んでいますが、現時点では、既存の法制度の適用による対処が中心です。例えば、EUの一般データ保護規則（GDPR）を根拠にしてEU各国のデータ保護監督機関がChatGPTを運営するOpenAIに対する執行を開始するなどの動きが見られます（イタリア当局は、いち早くChatGPTの利用停止を命じ、一時的に同国内でChatGPTが利用できなくなりました）。

また、AIについての包括的な新たな法整備を行う動きもあります。EUにおいては、AIに対する包括的・統一的な法的枠組みの構築を目的とするAI AI規則案（Act）が、早ければ2023年内に成立することが見込まれています。

海外においてビジネスを展開している企業にとっては、こうした動きのフォローが重要であるのはもちろんのこと、そうでなくとも、海外発の生成AIサービスは必然的にデータが国境をまたぐ形で利用される点で、諸外国の法制度からの影響を無視できません。現地法律の整備、執行状況については、できる限り最新の情報を取得することが肝要といえます。

リスクベースアプローチの重要性

それではこうした状況のなかで、企業はどのような対応をとっていけばよいでしょうか。

生成AIについては、いまだ法的な整理が不明確な問題が多数残っています。日本に限らず、世界的にも生成AIに対する各国のアプローチは不確かな状況といえます。とはいえ、漠然とリスクが存在するからといって一律に生成AIの導入を先延ばしにするのは、ビジネスにとっては必ずしも得策とはいえないでしょう。特に生成AIに関する法的な論点については、今後政府からのガイドラインなどが公表されることがあるとしても、しばらくは一定のリスクテイクをしながら利用せざるを得ないことが想定されます。このような不確かな状況が残る中で少しでも前進していくには、できる限り、問題となるリスクを分解して適切に評価したうえで、リスクベースのアプローチをとることが重要といえるのではないでしょうか。

こうしたリスク分析にあたっては、生成AIを利用する目的や、発生するリスクの大きさなど様々な要素を考慮に入れる必要があります。例えば、社内向けの業務においてのみ生成AIを利用する場合は、外部向けに生成AIサービスを提供する場合や外部向けコンテンツを作成するのに利用する場合に比べると、一般的には問題が生じる場面が限定的であると考えられます。また、発生するリスクの大きさも、例えば、刑事罰が定められている法律違反となるのか、差止請求が認められる可能性があるのか、損害賠償が認められるのか、そのリスクが顕在化するのはどれほど高いのかといった点を考慮する必要があります。

このように、生成AIの導入を進めるにあたっては、社内における利用目的を明確にしたうえで、その目的に関して問題となり得るリスクを洗い出し、そのリスクの顕在化可能性の高低を検討する作業がまず必要となります。その作業にあたっては、Chapter 3の場面ごとの分析を参照していただければと思います。

また、一定程度のリスクが残ることは避けられないとして、リスクを低減する方策を検討することも有用です。例えば、著作権侵害が問題となり得るケースを紹介してきましたが、少しでも著作権侵害を避けるために、学習用データのソースが権利者に特に配慮されている生成AIサービスを利用したり、プロンプトに特定のアーティストを指定した文言などを入れないようにしたりするといった対応も、著作権侵害によるトラブルを防ぐという意味では検討に値するでしょう。また、Lesson 21で解説したとおり、企業においては、ガイドラインの策定や従業員向けのトレーニングも、生成AIをめぐるリスクを低減するにあたって効果的な方法といえるでしょう。

このようにリスクを完全にはなくすことができないとしても、臨機応変に、柔軟に、バランスをとった判断をしていくことが求められていくように思います。

今後の展望

生成AIが非常に様々な面において社会にポジティブな変革をもたらすポテンシャルを持っていることは確かです。しかし、生成AIの利用にあたっては、本書で説明したように、様々な法律が関係し、これまでに前例がないような複雑な法的問題を考慮する必要があります。また、生成AIの普及に伴う変化の負の側面として、クリエイターをはじめ、その急激かつ大きな変化により職を失う者が続出するといった懸念や不安も存在しています。

しかし、だからといってリスクやネガティブ面のみを重視し、生成AIの爆発的な利用の増大を止めることは現実的ではありません。むしろ、生成AIへのニーズは今後も一層高まることが見込まれますので、生成AIが社会にもたらす変化をチャンスとしてポジティブに捉えることが、結果としてリスクやネガティブ面への備えとなるはずです。

産業革命以来の大変革をもたらすともいわれる生成AIの登場と発展から、多くの成果を手にするためには、いち早く利活用に踏み切ることが求められます。その新天地の入り口に立つ読者の皆様にとって、本書が「転ばぬ先の杖」となれば幸甚です。

おわりに
「AIの時代」をどう生きるか

本書を最後までお読みいただき、ありがとうございました。生成AIに関連する法律や実務的トピックを通じ、基礎的な知識から大まかな視座まで、幅広い知見を得ていただけたかと思います。

生成AIをはじめとするAIに関しては、特に法政策の面で、AIの利活用が人類にとって脅威をもたらす可能性が強く意識されています。EU「AI Act」案が一部AIを禁止カテゴリに分類する仕組みはその典型ですし、基本的に前向きなニュアンスであるわが国の「人間中心のAI社会原則」からも、機械（AI）中心となることへの警戒感がにじみ出ています。より古くは、特に第3次AIブーム（ディープラーニング技術の登場と発達）の頃から、AIが人類の知能を凌駕しその進化速度に人類が追いつけなくなる「シンギュラリティ」（またはテクノロジカル・シンギュラリティ：技術的特異点）が広く語られるようになって久しいですが、生成AIの爆発的な普及によって、その到来時期（2045年とするレイ・カーツワイル氏の予測がよく知られています）はさらに早まったとの議論すら見かけます。

このように、人類はAIを、人間社会に対する決定的なリスク要因となり、場合によっては人類文明を終わらせるおそれのある存在として、警戒の目で見ているといえるでしょう。

しかし、好むと好まざるとにかかわらず、生成AIの利活用はどんどん進展し、やがて誰もがAIとは無縁ではいられなくなるはずです。本格的な「AIの時代」の到来です。

「はじめに」でも、そのネガティブ面やリスクをどうコントロールするか人類の叡智が問われると書きましたが、その具体的な手段は、法をはじめとする社会制度です。そうすると、「AIの時代」においてはそうした社会制度とも同時に無縁ではいられないはずですが、本書を通じて生成AIの法実務・法政策に触れた読者の皆様は、すでに一定の備えができはじめているといえるでしょう。むしろ、これからの社会の変化を観察しつつ、そうした知見を社会生活や事業に積極的に活用することで、「AIの時代」がもたらすポジティブな面をより多く享受できるはずです。

われわれ執筆陣も、社会の変化に合わせ一層の知見を蓄積し、「AIの時代」の健全な発展に寄与し続けたいと願っています。本書がその一助となることを願い、あとがきとさせていただきます。

2023年8月

著者を代表して　増田雅史

索引

INDEX

PROFILES

編著者

増田雅史（ますだまさふみ）

❶❷❸❹❺❻⓯⓱㉒

2004年東京大学工学部卒業、2007年中央大学法科大学院修了、2008年弁護士登録（第二東京弁護士会）。2016年スタンフォード大学ロースクール（LL.M. in Law, Science & Technology）修了、2017年ニューヨーク州弁護士登録。2009～2010年経済産業省商務情報政策局メディア・コンテンツ課制度担当、2018～2020年金融庁企画市場局市場課専門官。IT・デジタル領域全般を扱う。一橋大学大学院法学研究科特任教授（非常勤。情報法プログラムにおける研究指導、講義「Web3・メタバースと法」担当）、筑波大学大学院人文社会ビジネス科学学術院ビジネス科学研究群非常勤講師（情報法）。近時の主な著作に「ChatGPTなどで話題の対話型AIを社内利用する際の検討ポイント」企業会計2023年8月号138頁、『新アプリ法務ハンドブック』（共編著、日本加除出版、2022年）、『NFTの教科書』（共編著、朝日新聞出版、2021年）がある。

輪千浩平（わちこうへい）

❶❷❸❹❺❻⓱㉒

2013年東京大学法学部卒業、2015年東京大学大学院法学政治学研究科中退、2015年弁護士登録。2022年スタンフォード大学ロースクール（LL.M. in Law, Science & Technology）修了。AIなどの最先端のテクノロジーやプラットフォームに関する規制など米国におけるテクノロジー法務の最新の動向を学ぶ。Google Japanのリーガルチームへの出向経験もあり、知的財産やデータ、セキュリティなど、テクノロジーに関する法分野全般を幅広に取り扱う。欧州におけるテクノロジー法務を得意とするBird & Bird法律事務所（ロンドン・デュッセルドルフオフィス）に出向し、GDPRなどの個人データに関する規制からAI規則案（AI Act）まで、欧州の最前線の実務もカバーしている。

著者

上村哲史（かみむらてつし） ⑲⑳

1999年早稲田大学法学部卒業、2001年早稲田大学大学院法学研究科修士課程修了、2002年弁護士登録（第二東京弁護士会）。2011年早稲田大学大学院法務研究科非常勤講師（著作権等紛争処理法）（～現在）。知的財産権・IT・エンタメ分野の取引案件や紛争案件のほか、幅広い分野に豊富な経験と知識を有する。近時の主な著作に『ソフトウェア開発委託契約 交渉過程からみえるレビューのポイント』（共著、中央経済社、2021年）、『情報コンテンツ利用の法務』（共著、青林書院、2020年）、『AI・IoT・ビッグデータの法務最前線』（共著、中央経済社、2019年）、『秘密保持・競業避止・引抜きの法律相談〔改訂版〕』（共著、青林書院、2019）がある。

田中浩之（たなかひろゆき） ㉑

2004年慶應義塾大学法学部法律学科卒業、2006年同大学大学院法務研究科修士課程修了、2007年弁護士登録（第二東京弁護士会）。2013年ニューヨーク大学ロースクール卒業、2014年ニューヨーク州弁護士登録。慶應義塾大学大学院法学研究科特任教授（非常勤）。個人情報、IT、知的財産を3本柱とし、近時は生成AI関係の案件も多く手がける。近時の主な著作に『ChatGPTの法律』（共著、中央経済社、2023年）、『60分でわかる！改正個人情報保護法超入門』（共著、技術評論社、2022年）がある。

北山昇（きたやまのぼる） ⑧⑯

2008年立教大学法学部法学科卒業、2010年東京大学法科大学院修了、2011年弁護士登録（第二東京弁護士会）。2021年ジョージタウン大学ローセンター（National Security Law LLM）修了。2017～2019年個人情報保護委員会事務局参事官補佐。個人情報・プライバシー及び訴訟等の紛争解決を扱う。近時の主な著作に「連載　個人情報保護をめぐる実務対応の最前線」NBL 1204号50頁～1246号98頁（全16回、共著）がある。

篠原孝典（しのはらたかのり） ⑭

2000年東京大学法学部卒業、2008年大宮法科大学院修了、2009年弁護士登録（第二東京弁護士会）。2000～2006年アメリカンファミリー生命保険会社勤務、2011～2013年金融庁総務企画局企画課調査室専門官、2020～2022年金融庁監督局総務課・同金融サービス仲介業・電子決済等代行業室・同法令等遵守調査室課長補佐（兼務）。金融規制全般、Fintech、コンプライアンス関連の案件を多く手掛ける。近時の主な著作に『実務解説　金融サービス仲介業100問』（共著、商事法務、2022年）がある。

上田雅大（うえだまさひろ） ⑬⑱

2009年年神戸大学法学部卒業、2010年弁護士登録（第二東京弁護士会）。2019年コーネル大学ロースクール修了、2020年ニューヨーク州弁護士登録。2016～2018年厚生労働省労働基準局（訟務官）。IT・知的財産、労働、消費者法務に精通し、幅広い分野をカバーする。近時の主な著作に『新アプリ法務ハンドブック』（共著、日本加除出版、2022年）、「人事部門が保有する情報の開示・取り扱いの実務」労政時報4037号59頁（共著）がある。

加藤瑛子（かとうえいこ） ⓬⓭

2014年上智大学法学部卒業、2016年早稲田大学法科大学院修了、2017年弁護士登録（第二東京弁護士会）。主な取扱業務は、知的財産権、M&A、訴訟・紛争など。

堺有光子（さかいゆみこ） ⓳

2016年東京大学法学部第1類卒業、2018年東京大学法科大学院修了、2019年弁護士登録（第二東京弁護士会）。特許・著作権等の知的財産権、独占禁止法等に関する訴訟・紛争案件のほか、事業活動で生じる知的財産権に関する問題等について日常的にアドバイスを行う。近時の主な著作に「The Patent Litigation Law Review: Japan Chapter」（共著、Law Business Research Ltd.、2022年）がある。

田野口瑛（たのくちあきら） ❿⓫

2016年京都大学法学部卒業、2018年京都大学法科大学院修了、2019年弁護士登録（第二東京弁護士会）。知的財産権に関する紛争をはじめとした様々な訴訟・紛争案件の経験を有するほか、IT、個人情報、エンタメ、消費者法務等の幅広い分野を取り扱う。近時の主な著作に「会社の法律　キーワードWEB」（共著、第一法規HP）、『不正・不祥事対応における再発防止策』（共著、商事法務、2021年）がある。

佐藤真澄（さとうますみ） ⓴

2017年東京大学経済学部経済学科卒業、2019年東京大学法科大学院中退、2020年弁護士登録（第二東京弁護士会）。主な取扱業務は、知的財産、訴訟・紛争、競争法など。

瀧山侑莉花（たきやまゆりか） ❼❾

2017年一橋大学法学部法律学科卒業、2020年一橋大学法科大学院修了、2022年弁護士登録（東京弁護士会）。主な取扱業務は、知的財産・エンタメ分野、訴訟・紛争、通商法など。

梛良拡（なぎらひろむ） ⓲

2014年慶應義塾大学法学部政治学科卒業、2020年東京大学法科大学院修了、2022年弁護士登録（第二東京弁護士会）。主な取扱業務は、知的財産権、税務、訴訟・紛争など。

松井佑樹（まついゆうき） ⓯㉑

2017年慶應義塾大学法学部法律学科卒業、2020年東京大学法科大学院修了、2022年弁護士登録（第一東京弁護士会）。慶應義塾大学大学院法学研究科研究員（非常勤）。主な取扱業務は、知的財産権、J-REIT、アセット・マネジメントなど。近時の主な著作に「ビジネス用アプリケーションにおけるカテゴリー名の選択、配列の編集著作物性」知的財産法政策学研究61号217頁、「撮影上の工夫を批評するための写真引用の可否」知的財産法政策学研究56号239頁がある。

COLOPHON

Introduction to Generative AI Law

ゼロからわかる
生成AI法律入門

対話型から画像生成まで、分野別・利用場面別の課題と対策

2023年9月30日　第1刷発行

編　著　増田雅史、輪千浩平

装　丁　天池聖（drnco.）

発行者　宇都宮健太朗

発行所　朝日新聞出版
〒104-8011 東京都中央区築地5-3-2
電　話　03-5541-8832（編集）
03-5540-7793（販売）

印刷所　大日本印刷株式会社

Published in Japan by Asahi Shimbun Publications Inc.
ISBN 978-4-02-251938-2